Rien

Cet ouvrage a été traduit avec le concours financier du comité littéraire du
Conseil des Arts danois

Illustration de couverture : Lorenzo Mattotti
Conception graphique couverture : Laurence Moinot

Pour l'édition originale, publiée avec l'autorisation de The Gyldendal Group
Agency, sous le titre *Intet*
© Janne Teller, 2000

© Éditions du Panama, 2007, pour la traduction française
26 rue Berthollet – 75005 Paris
Dépôt légal : septembre 2007
ISBN : 978-2-7557-0276-7
N° 0276-1

www.editionsdupanama.com

Janne Teller

Rien

Traduit du danois
par Laurence W.Ø. Larsen

PANAMA

1

Rien n'a de sens,
je le sais depuis longtemps.
Il n'y a donc rien à faire,
je viens de le découvrir.

2

Pierre Anthon a quitté l'école le jour où il a découvert que rien ne valait la peine d'être fait puisque, de toute façon, rien n'avait de sens.

Nous, on est restés.

Et même si les professeurs étaient occupés à remettre de l'ordre derrière Pierre Anthon, autant dans la salle de classe que dans nos têtes, on a gardé un peu de Pierre Anthon en nous. C'est peut-être pourquoi ça s'est passé comme ça.

C'était la deuxième semaine d'août. Le soleil tapait fort, nous rendait paresseux et irritables, l'asphalte collait à la semelle de nos tennis, les pommes et les poires étaient si mûres qu'elles pesaient dans la main, bonnes à être jetées. Nous marchions tête baissée.

Premier jour d'école après les grandes vacances. La salle de classe sentait les produits ménagers et l'abandon prolongé, les vitres renvoyaient des reflets aveuglants, et il n'y avait pas de craie sur le tableau. Les tables se tenaient en rangs par deux, en lignes droites comme des couloirs d'hôpitaux et comme elles ne le faisaient que ce jour-là de l'année. 4eA.

On a pris nos places sans avoir le courage de bousculer l'ordre familier.

Eskildsen nous a souhaité la bienvenue avec le mot d'esprit qu'il utilisait chaque année.

« Réjouissez-vous de ce jour, les enfants, a-t-il dit. Il n'y aurait pas de vacances, s'il n'y avait pas d'école. »

On a ri. Pas parce que c'était drôle, mais parce qu'*il* l'était.

Et c'est là que Pierre Anthon s'est levé.

« Rien n'a de sens, a-t-il dit. Je le sais depuis longtemps. Il n'y a donc rien à faire. Je viens de le découvrir. »

Très tranquillement, il s'est penché et a rangé dans son sac les affaires qu'il venait de sortir. Il a salué tout le monde d'un geste de tête indifférent et quitté la salle de classe sans fermer la porte derrière lui.

La porte souriait. C'était la première fois que je la voyais le faire. Pierre Anthon l'avait laissée entrebâillée, comme un néant riant qui m'avalerait si je m'aventurais à le suivre. J'ai regardé autour de moi, et le silence embarrassé m'a dit que les autres aussi l'avaient compris : en ce qui nous concernait, on allait devenir quelque chose, quelqu'un.

Quelqu'un d'important, et ce n'était pas dit tout haut. Ni même tout bas. C'était dans l'air, ou le temps, ou dans la clôture autour de l'école, ou dans nos oreillers, ou dans les peluches, qui, leur devoir accompli, étaient injustement reléguées dans les caves et les greniers à prendre la poussière.

Jusqu'à présent, je l'ignorais. La porte souriante de Pierre Anthon me le montrait. Je n'en étais pas encore consciente, et pourtant je le savais.

J'ai eu peur. Peur de Pierre Anthon.

Peur, très peur, encore plus peur.

On habitait à Tæring, banlieue d'une banale ville de province. Ça n'était pas chic, mais presque chic. On nous le rappelait souvent, même si ce n'était pas dit tout haut. Ni même tout bas. Des bicoques de banlieue dont la peinture jaune s'écaillait et des pavillons rouges entourés d'un jardin côtoyaient des maisons modernes et les appartements de ceux avec qui on ne jouait pas.

Il y avait aussi quelques vieilles maisons à colombages, d'anciennes fermes dont les terres avaient été morcelées pour la construction urbaine, et quelques villas blanches où demeuraient ceux qui étaient plus « presque chic » que nous.

L'école de Tæring se trouvait au croisement de deux rues. À part Elise, tout le monde habitait l'une d'elles, celle qui s'appelait rue de Tæring. Parfois, Elise faisait le détour pour nous accompagner. C'était avant que Pierre Anthon ne quitte l'école.

Celui-ci vivait avec son père et la communauté au numéro 25 de la rue de Tæring, dans une ancienne ferme. Son père et la communauté étaient des hippies qui se croyaient encore en 68. C'était ce que disaient nos parents, et même si on ne comprenait pas tout à fait ce que ça signifiait, on le disait aussi.

Dans le jardin devant la maison, le long de la rue, il y avait un prunier. L'arbre était grand, vieux, tordu et se penchait au-dessus de la haie, nous alléchant de ses victorias rouge cendré qu'on ne pouvait atteindre. Les années précédentes, on sautait pour les attraper. On ne l'a plus fait.

Pierre Anthon avait quitté l'école pour aller s'installer dans le prunier, d'où il nous jetait des prunes vertes. Certaines d'entre elles nous atteignaient. Non pas parce que Pierre Anthon nous avait visés, ça n'en valait pas la peine, assurait-il. C'était juste le hasard.

Et puis il criait après nous.

« Rien n'a d'importance, avait-il clamé un jour. Parce que tout commence pour finir. À l'instant où vous êtes nés, vous avez commencé à mourir. Et c'est comme ça pour tout. »

« La terre a quatre milliards six cents millions d'années, mais vous en vivrez tout au plus une centaine, avait-il crié un autre jour. Ce n'est vraiment pas la peine d'exister. »

Et il avait continué :

« La vie n'est qu'un jeu qui consiste à exceller dans l'art de faire semblant et d'y être précisément le meilleur. »

Rien jusqu'à présent n'avait indiqué que Pierre Anthon était le plus intelligent d'entre nous, mais subitement nous l'avons tous su. Parce qu'il avait compris quelque chose. Même si nous n'osions pas l'avouer. Ni à nos parents, ni à nos professeurs, ni les uns aux autres. Même pas à nous-mêmes. On ne voulait pas vivre dans le monde dont Pierre Anthon nous parlait. On allait devenir quelque chose, quelqu'un.

La porte souriante ne nous tentait pas.

Pas du tout. Absolument pas !

C'est pour ça qu'on a eu cette idée. Enfin presque, car en réalité c'est Pierre Anthon qui nous a mis sur la piste.

C'était un matin après que deux prunes dures, l'une après l'autre, avaient atteint Sofie à la tête, et qu'elle enrageait contre Pierre Anthon, qui était toujours là, dans l'arbre, à nous sermonner.

« Toi tu restes là à rêvasser ! Tu crois que c'est mieux ? s'est-elle écriée.

– Je ne rêvasse pas, a répondu Pierre Anthon calmement. Je regarde le ciel et je m'exerce à ne rien faire.

– Tu te fous de nous ! » a rétorqué Sofie, furieuse, et elle a jeté un bout de bois en direction de l'arbre et de Pierre Anthon, mais il a atterri dans la haie, bien en dessous de lui.

Pierre Anthon a ri et crié si fort en retour qu'on pouvait l'entendre jusqu'à l'école :

« Si quelque chose vaut la peine qu'on se mette en colère, alors quelque chose vaut la peine qu'on se réjouisse. Et si quelque chose vaut la peine qu'on se réjouisse, alors quelque chose a un sens. Mais il n'y a rien ! »

Il est monté encore d'un ton :

« Dans quelques années, vous serez tous morts et oubliés et plus rien. Alors vous pouvez aussi bien commencer à vous y habituer tout de suite. »

C'est là qu'on s'est rendu compte qu'il fallait faire descendre Pierre Anthon du prunier.

3

Un prunier compte maintes branches.
Maintes longues branches.
Bien trop, bien trop longues branches.

L'école de Tæring était grande, carrée, gris béton, sur deux étages et dans le fond très laide, mais bien peu d'entre nous avaient le loisir d'y penser. Et surtout pas maintenant qu'on passait tout notre temps à penser à ce que Pierre Anthon disait.

Pourtant, ce mardi matin, huit jours après la rentrée, c'était comme si la laideur de l'école nous frappait au visage, comme une volée de prunes amères de Pierre Anthon.

J'arrivais avec Jan-Johan et Sofie devant le portail, Rikke-Ursula et Gerda derrière nous, quand on s'est brusquement tus en apercevant le bâtiment.

Difficile d'expliquer comment, mais c'était comme si Pierre Anthon nous faisait remarquer quelque chose. Comme si le néant dont il nous menaçait, perché dans le prunier, nous avait dépassés en chemin et était arrivé avant nous.

L'école était si grise, si laide et anguleuse que j'avais de la peine à respirer. C'était comme si l'école était la vie, et ce n'était pas à ça que la vie aurait dû ressembler, mais c'était pourtant le cas. J'ai ressenti un besoin irrépressible de courir jusqu'au 25 rue de Tæring pour rejoindre Pierre Anthon dans le prunier et regarder le ciel, jusqu'à faire partie du vide et du néant et ne plus jamais avoir à penser.

Mais je devais devenir quelque chose, quelqu'un, je n'ai donc couru nulle part, j'ai simplement regardé de l'autre côté et me suis enfoncé les ongles dans la paume jusqu'à ce que ça fasse bien mal.

Porte souriante, ouvre-toi, ferme-toi !

Je n'étais pas la seule à avoir entendu l'appel de l'ailleurs.

« Il faut faire quelque chose », a murmuré Jan-Johan, afin que ceux de l'autre classe qui marchaient devant ne puissent pas nous entendre. Jan-Johan jouait de la guitare et chantait des chansons des Beatles presque comme les vrais.

« Oui », a murmuré à son tour Rikke-Ursula, que je soupçonnais d'avoir un peu le béguin pour Jan-Johan. Alors Gerda a pouffé en donnant un coup de coude dans le vide.

« Mais quoi ? » ai-je chuchoté en me mettant à courir, car nous nous étions sérieusement rapprochés de ceux de l'autre classe et il y avait parmi eux les affreux qui tiraient des élastiques et des pois secs sur les filles dès qu'ils en avaient l'occasion. Et ça avait l'air de vouloir tourner très bientôt à l'occasion.

Jan-Johan a fait circuler un mot pendant le cours de maths, et notre classe s'est réunie sur le terrain de foot après l'école. Tout le monde était là, sauf Henrik, parce qu'Henrik était le fils du prof de biologie, et on ne devait prendre aucun risque.

D'abord ça m'a paru très long, on était là à discuter et à faire comme si on ne pensait pas tous à une seule et même chose. Mais finalement, Jan-Johan s'est levé et nous a dit, presque solennel, de bien écouter.

« Ça ne peut pas continuer », a-t-il lancé, phrase qu'il a répétée à la fin de son discours, après nous avoir exposé brièvement ce que tout le monde savait : inutile de prétendre que quoi que ce soit valait quelque chose tant que Pierre Anthon resterait assis dans le prunier à nous crier que rien ne valait rien.

On venait d'entrer en quatrième, et on était tous tellement au fait des choses de la vie et du monde qu'on savait bien qu'il s'agissait plus, au fond, de ce dont ça avait l'air que de ce que c'était.

Le plus important était, en tout cas, de devenir quelqu'un. Et même si ce quelqu'un restait un peu vague et confus pour nous, il n'y avait, de toute façon, pas de quoi s'asseoir dans un prunier et jeter des prunes dans la rue.

Pierre Anthon ne devait pas s'imaginer qu'il allait nous faire croire autre chose.

« Il descendra quand ce sera l'hiver et qu'il n'y aura plus de prunes », a dit la belle Rosa.

Ça n'aidait pas beaucoup.

D'abord parce que le soleil emplissait le ciel et promettait de longs mois avant l'hiver. Ensuite parce qu'il n'y avait aucune raison pour que Pierre Anthon ne reste pas assis dans le prunier durant l'hiver, même s'il n'y avait plus de prunes. Il n'aurait qu'à bien se couvrir.

« Alors vous devez le tabasser. » Je me suis tournée vers les garçons, parce qu'il était clair que c'était eux qui devaient s'en charger, même si nous, les filles, pouvions l'égratigner un peu.

Les garçons se sont regardés.

Ils ne trouvaient pas que c'était une bonne idée. Pierre Anthon était large et massif, avec plein de taches de rousseur sur le nez qu'il s'était cassé une fois, quand il était en sixième, en donnant un coup de boule à un type de seconde. Et malgré son nez cassé, Pierre Anthon avait gagné. Le garçon de seconde avait été hospitalisé, victime d'une commotion.

« C'est une mauvaise idée de se battre », a dit Jan-Johan. Les autres ont acquiescé et il n'en a plus été question, même si, à cette occasion, nous les filles avons perdu un peu d'estime pour eux.

« Nous devons prier le Seigneur, a dit le pieux Kaj, dont le père était haut placé dans la hiérarchie de la Mission Intérieure, ainsi que sa mère.

– Ta gueule ! » a juré Ole et il a pincé le pieux Kaj, jusqu'à ce que celui-ci braille comme un porc qu'on égorge. On a dû intervenir pour que ses cris n'attirent pas l'attention du concierge.

« On pourrait aussi aller se plaindre », a suggéré la petite Ingrid, qui était si petite qu'on ne se souvenait pas toujours qu'elle était là. Mais ce jour-là, on s'en est souvenus et on a répondu d'une seule voix :

« À qui ?

– À Eskildsen. » La petite Ingrid a remarqué nos regards incrédules. Eskildsen était notre professeur principal. Eskildsen portait un imper noir, une montre en or et se moquait bien de nos problèmes, petits ou grands.

« À l'inspecteur, alors, a-t-elle continué.

– L'inspecteur ? s'est exclamé Ole et il aurait pincé la petite Ingrid si Jan-Johan ne s'était pas interposé.

– On ne peut se plaindre ni à Eskildsen, ni à l'inspecteur, ni à aucun autre adulte. Parce que si on se plaint de Pierre Anthon dans le prunier, on sera obligés d'expliquer pourquoi on se plaint. Et on sera obligés de raconter ce que dit Pierre Anthon. Et on ne peut pas, parce que pour les adultes, il n'est pas question de reconnaître que rien ne vaut rien, et qu'ils font tous semblant. »

Jan-Johan a écarté les bras et on a imaginé tous les experts, pédagogues et psychologues qui viendraient nous étudier, discuter avec nous et nous convaincre, jusqu'à ce que finalement on abandonne et qu'on recommence à prétendre que quelque chose valait quelque chose.

Il avait raison : c'était une perte de temps et ça ne nous mènerait nulle part.

Pendant un moment, plus personne n'a parlé.

J'ai regardé en direction du soleil en clignant des yeux, puis vers les buts de foot blancs sans filets, puis derrière, le sable du lancer de poids, les matelas du saut en hauteur et la piste du cent mètres. Une légère brise faisait frissonner la haie de hêtres qui entourait le terrain de foot. C'était tout à coup presque comme un cours de gym de tous les jours, et j'ai presque oublié pourquoi Pierre Anthon devait descendre de ce prunier.

« En ce qui me concerne, il peut bien rester assis là-haut et crier jusqu'à ce qu'il pourrisse », ai-je pensé. Je ne l'ai pas dit. La pensée n'a de valeur qu'à l'instant où elle est pensée.

« On n'a qu'à lui jeter des pierres », a proposé Ole, et une longue discussion s'est ensuivie sur où trouver les pierres, leur grosseur et qui devait les lancer, parce que l'idée était bonne.

Bonne, meilleure, la meilleure.

On n'en avait pas d'autre.

4

Une pierre, deux pierres, plein de pierres.

Elles se trouvaient dans la remorque à journaux du pieux Kaj, celle qu'il utilisait chaque mardi après-midi pour distribuer le journal local, et le journal de l'église chaque premier mercredi du mois.

On était allés les chercher au ruisseau où elles étaient grosses et rondes, et la remorque pesait un âne mort.

On était tous censés participer.

« Deux chacun, au moins », a ordonné Jan-Johan.

Ole s'assurait que personne ne se défile. Même Henrik-la-lèche avait été prévenu et a lancé ses deux pierres qui ne sont même pas arrivées à proximité du prunier. Celles de Maiken et de Sofie sont tombées un peu plus près.

« Donc vous avez vraiment peur du rien, n'est-ce pas ? a crié Pierre Anthon alors que la pierre de Rikke-Ursula atterrissait piteusement dans la haie.

– Si tu es assis là-haut, c'est seulement parce que ton père se croit toujours en 68 ! » a répondu le grand Hans et il a jeté une pierre qui a frappé une prune, projetant de la chair et du jus tout autour.

On a hurlé.

Moi aussi, même si je savais parfaitement que rien de tout ça n'était vrai.

Le père de Pierre Anthon et la communauté cultivaient des légumes écologiques et des religions exotiques, croyaient aux esprits, aux médecines parallèles et aux autres hommes. Mais ce n'était pas pour ça que ce n'était pas vrai.

Ce n'était pas vrai parce que le père de Pierre Anthon avait les cheveux coupés en brosse et travaillait dans une société d'informatique, et ça c'était très moderne et n'avait rien à voir avec 68 ou Pierre Anthon.

« Mon père ne se croit nulle part et moi non plus ! a vociféré Pierre Anthon avant d'essuyer un peu de jus de son bras. Je ne suis assis dans rien. Et mieux vaut n'être assis dans rien que dans quelque chose qui n'est rien ! »

C'était tôt le matin.

De l'est, le soleil dardait ses rayons obliques, droit dans les yeux de Pierre Anthon. Il devait se faire de l'ombre avec une main s'il voulait nous voir. On se tenait tous dos au soleil, autour de la remorque, de l'autre côté du trottoir. Là où les prunes de Pierre Anthon avaient du mal à nous atteindre.

On ne lui a pas répondu.

C'était le tour de Richard. Il a lancé une pierre qui a cogné fort le tronc du prunier, et une autre qui a sifflé entre les feuilles et les prunes, tout près de l'oreille de Pierre Anthon.

J'ai jeté la mienne. Je n'ai jamais été bonne au lancer, mais j'étais en colère et décidée à le toucher, et alors que la première de mes pierres a fini dans la haie à côté de celle de Rikke-Ursula, l'autre a claqué contre la branche sur laquelle était assis Pierre Anthon. « Alors, Agnès ? a-t-il clamé, c'est si dur que ça de croire que quelque chose vaut quelque chose ? »

J'ai pioché une troisième pierre, et cette fois, j'ai dû l'atteindre parce qu'on a entendu un « aïe » et il y a eu un instant de silence dans le feuillage. Puis ça a été le tour d'Ole, mais il a lancé trop haut et trop loin, et Pierre Anthon a recommencé à crier.

« Si vous vivez jusqu'à quatre-vingts ans, vous en aurez passé trente à dormir, vous serez allés à l'école et aurez fait vos devoirs pendant neuf bonnes années, et travaillé presque quatorze. Comme vous avez déjà passé six ans à être de petits enfants et à jouer, et qu'il vous en faudra au moins douze plus tard pour faire le ménage, manger et garder vos enfants, il vous reste tout au plus neuf ans à vivre. »

Pierre Anthon a jeté une prune qui a décrit une légère courbe avant de retomber lourdement dans le ruisseau.

« Et vous avez envie de passer ces neuf ans à faire semblant d'avoir du succès dans une comédie qui ne veut rien dire, quand on peut profiter de ces neuf ans tout de suite ? »

Il a encore saisi une prune, s'est calé confortablement dans la fourche de l'arbre et a soupesé le fruit. Il y a mordu à belles dents et a ri. Les victorias étaient presque mûres.

« C'est pas une comédie ! a hurlé Ole en menaçant Pierre Anthon de son poing serré.

– C'est pas une comédie ! a insisté le grand Hans en envoyant de nouveau une pierre.

– Alors pourquoi est-ce que tout le monde prétend que ce qui n'est pas important est très important, tout en étant si occupé à faire croire que ce qui l'est vraiment ne l'est pas du tout ? »

Pierre Anthon a souri et essuyé le jus de prune de son menton avec le bras.

« Et pourquoi est-ce si important d'apprendre à dire merci, et de rien, et bonjour, et comment allez-vous, quand bientôt aucun d'entre nous n'ira plus nulle part, tout le monde le sait, et pourrait au lieu de cela être assis là à manger des prunes, à observer le mouvement de la terre autour du soleil et à s'exercer à devenir un fragment du néant ? »

Les deux pierres du pieux Kaj se sont envolées rapidement, l'une après l'autre.

« Quand rien n'a de sens, il vaut mieux ne rien faire que faire quelque chose. Surtout si ce quelque chose est de lancer des pierres parce qu'on n'ose pas grimper dans les arbres. »

Les pierres ont volé de toutes parts en direction du prunier. Tout ordre avait été abandonné. Tout le monde lançait en même temps, et peu après il y a eu un cri de Pierre Anthon, qui a dégringolé de la branche et atterri brutalement dans l'herbe derrière la haie.

Ça tombait bien, parce qu'on n'avait plus de pierres et qu'il était tard. Le pieux Kaj devait se dépêcher de rentrer avec la remorque à journaux s'il voulait être à l'école avant que la cloche ne sonne.

Tout était calme dans l'arbre le lendemain matin quand on est passés, en route pour l'école.

C'est Ole le premier qui a traversé la rue. Suivi du grand Hans qui, en sautant lourdement, a attrapé deux victorias qu'il a arrachées avec un tas de feuilles et un grand cri. Comme il ne se passait toujours rien, on a suivi en jubilant.

On avait gagné !

La victoire est douce. La victoire est. La victoire.

Deux jours plus tard, Pierre Anthon était de retour dans le prunier avec un pansement sur le front et diverses nouvelles maximes :

« Même si vous apprenez quelque chose et que vous pensez savoir quelque chose, il y a toujours quelqu'un qui le sait mieux que vous.

– La ferme, ai-je répondu, je vais devenir quelqu'un ! Et je serai célèbre dans le monde entier !

– Bien sûr, Agnès. (La voix de Pierre Anthon était amicale, presque compatissante.) Tu deviendras styliste, tu te dandineras sur des talons hauts, tu feras la maligne en faisant croire aux autres qu'eux aussi sont malins parce qu'ils portent des vêtements de ta marque. »

Il a hoché la tête.

« Mais tu découvriras que tu es un clown dans un cirque sans importance, où chacun tente de convaincre les autres qu'il est vital d'avoir l'air d'une chose une année, et d'une autre l'année suivante. Et tu découvriras aussi que la renommée et le monde sont extérieurs à ce que tu es, et qu'au-dedans il n'y a rien, et que ce sera toujours comme ça, quoi que tu fasses. »

J'ai regardé autour de moi ; il n'y avait aucune pierre sur la route.

« Ta gueule ! ai-je crié, mais Pierre Anthon a continué.

– Pourquoi ne pas reconnaître tout de suite que rien n'a de sens et jouir du néant ? »

Je lui ai fait un doigt d'honneur.

Pierre Anthon s'est borné à rire.

Furieuse, j'ai tiré Rikke-Ursula par le bras, et Rikke-Ursula était mon amie, avec ses cheveux bleus et ses six nattes, et c'était déjà quelque chose.

Bleu, plus bleu, encore plus bleu. Si ma mère ne me l'avait pas formellement interdit, ma chevelure aussi aurait été bleue. Je devais me contenter de six nattes qui ne donnaient pas grand-chose avec mes cheveux fins et clairsemés, mais c'était déjà ça.

Ça n'a pas pris longtemps avant que Jan-Johan ne nous convoque à nouveau sur le terrain de foot.

Il n'y a eu aucune bonne proposition, mais beaucoup de mauvaises. On ne voulait plus entendre parler d'Ole, et s'il n'avait pas été le plus fort de la classe – en tout cas depuis que Pierre Anthon avait quitté l'école – il aurait reçu des coups.

Alors qu'on s'apprêtait à partir, à court d'idées, Sofie s'est avancée.

« Il faut prouver à Pierre Anthon que quelque chose a un sens », a-t-elle dit, et c'était suffisant, parce qu'on a immédiatement su ce qu'il fallait faire.

On a commencé dès le lendemain après-midi.

5

Sofie habitait là où Tæring cessait d'être une ville pour devenir de la campagne. À l'extrémité d'un grand champ, derrière la maison peinte en jaune où elle vivait avec ses parents, se trouvait une scierie désaffectée. Celle-ci devait être détruite pour faire place à une salle de sport dont les sommités de la ville parlaient depuis des années, mais personne n'y croyait plus et la scierie s'était délabrée. Cependant, malgré ses vitres cassées et son toit percé, elle tenait toujours debout, et c'était ce dont on avait besoin.

À la récréation, on a tous donné nos pièces de une, deux et cinq couronnes à Jan-Johan qui a couru jusque chez le quincaillier, et est revenu en courant de nouveau, cette fois avec un cadenas à code flambant neuf à la main.

On s'est un peu chamaillés à propos du code, chacun trouvant que sa date de naissance était la plus appropriée. Finalement, on est tombés d'accord sur le 5 février, jour où Pierre Anthon était né. 5-0-2 sont donc les chiffres qu'on s'est exercés à retenir jusqu'à en oublier d'écouter et d'apprendre nos leçons, à tel point que le professeur

25

Eskildsen a commencé à se poser des questions et a demandé si on avait des moineaux dans la tête ou si on avait seulement perdu le peu de cervelle qu'on avait. On ne lui a pas répondu. Personne. 5-0-2 !

On avait la scierie, on avait le cadenas et on savait ce qu'on devait faire. Pourtant, c'était plus difficile qu'on ne l'avait cru. Pierre Anthon ayant un peu raison de dire que rien n'avait de sens, ça n'était en effet pas si facile de réunir des choses qui en aient.

C'est encore Sofie qui nous a sauvés.

« On n'a qu'à faire semblant », a-t-elle dit, et après, on a tous trouvé quelques trucs à proposer.

Elise se souvenait qu'elle avait pleuré une fois quand elle avait six ans et qu'un berger allemand avait arraché la tête de sa poupée, alors elle a extirpé la vieille poupée et la tête coupée de ses cartons à la cave, et les a apportées à la scierie abandonnée. Le pieux Kaj est venu avec un vieux livre de cantiques auquel manquaient la couverture et pas mal de cantiques, mais dont les pages se suivaient quand même sans interruption de 27 à 389.

Rikke-Ursula a ressorti un peigne en nacre rose auquel ne manquaient que deux dents et Jan-Johan une cassette des Beatles trop usée pour être audible mais qu'il n'avait pas eu le cœur de jeter.

D'autres sont allés de maison en maison en demandant si on ne leur donnerait pas quelque chose qui aurait une signification. On leur a claqué une ou deux portes au nez, mais ils ont aussi reçu des choses des plus étranges.

Les vieux étaient les meilleurs. Ils nous ont fait cadeau de chiens en porcelaine qui pouvaient bouger la tête et étaient seulement un peu ébréchés, de photos de parents morts depuis longtemps, ou de jouets d'enfants devenus adultes. On a aussi reçu quelques vieux vêtements usés jusqu'à la trame à force d'avoir été portés, ainsi qu'une simple rose d'un bouquet de mariée d'il y avait trente-six ans.

La rose nous a bien un peu perturbées, nous les filles, parce qu'on trouvait malgré tout que c'était quelque chose qui avait une signification, ce rêve d'être une mariée en blanc tenant un joli bouquet et embrassant l'homme qui devrait être le sien pour la vie. Mais comme Laura, qui l'avait récupérée, a dit que la dame avait divorcé cinq ans plus tard et que beaucoup de nos parents étaient eux aussi séparés, s'ils avaient jamais été mariés, ce rêve-là non plus n'avait pas de sens.

Le tas grandissait de plus en plus.

En quelques jours, il était devenu presque aussi haut que la petite Ingrid. Et pourtant, il manquait un peu de signification. On savait tous parfaitement que rien de ce qu'on récoltait n'avait de sens pour nous, alors comment pourrait-on convaincre Pierre Anthon que cela représentait quelque chose ?

Non, il nous démasquerait tout de suite.

Nul. Néant. Négatif.

Une fois de plus, Jan-Johan nous a convoqués. Et il a bien fallu reconnaître qu'en réalité, il y avait des choses qui avaient un sens pour nous, même si bien sûr elles n'en avaient pas beaucoup. Mais tout de même plus que ce qu'on avait pour l'instant.

Dennis a été le premier. Il a apporté toute une pile de *Donjons et Dragons* qu'il avait lus et relus et connaissait presque par cœur. Ole a vite découvert qu'il en manquait quatre à la série et Dennis a dû s'en séparer aussi.

Il a poussé les hauts cris et dit qu'Ole n'avait qu'à se mêler de ses affaires, parce que ce n'était pas ce qui était prévu, et qu'on était vraiment des minables.

Mais plus Dennis vociférait et plus on pouvait voir qu'il prenait conscience de ce que ces livres signifiaient pour lui. Et n'était-ce pas justement ce dont on était convenus, à savoir que c'était ce qui signifiait le plus qui devait être mis sur le tas afin de convaincre Pierre Anthon de descendre du prunier ?

Quand Dennis a sorti les quatre derniers *Donjons et Dragons*, ça a été comme une révélation. Parce que Dennis savait que Sebastian tenait beaucoup à sa canne à pêche. Et Sebastian savait que Richard idolâtrait son ballon de football noir. Et Richard avait bien vu que Laura ne quittait plus ses boucles d'oreilles-perroquets africaines.

On aurait dû s'arrêter avant d'en arriver là. Mais d'une manière ou d'une autre, c'était déjà trop tard, même si j'ai fait ce que j'ai pu pour éviter le pire.

« Tout ça ne vaut rien, ai-je dit.

– Ha », a ricané Gerda en désignant mes sandales vertes à petits talons. J'avais passé tout l'été à convaincre ma mère de me les acheter, et elle venait de le faire maintenant qu'elles étaient en solde.

Je savais ce qui allait se passer. Et si je dois être tout à fait honnête, c'est aussi pour cette raison que j'ai tenté de mettre fin à la collecte. Ce n'était qu'une question de temps avant que quelqu'un ne désigne les sandales. Que ça dût être cette « gnan-gnan-rit-bêtement » de Gerda ne faisait qu'aggraver les choses. J'ai d'abord essayé de faire comme si de rien n'était, comme si je n'avais pas du tout compris où Gerda voulait en venir, mais Laura ne m'a pas lâchée.

« Les sandales, Agnès », a-t-elle dit, et il n'y avait pas d'échappatoire.

Je me suis accroupie pour détacher mes sandales, mais je n'ai pas pu m'y résoudre et me suis relevée.

« Je ne peux pas, ai-je dit. Ma mère va demander où elles sont et les adultes vont tout découvrir. » Je me croyais maligne. Je ne l'étais pas.

« Tu te crois mieux que nous ? a hurlé Sebastian. Et ma canne à pêche, tu crois qu'elle est où pour mon père ? » Et comme pour souligner ce qu'il disait, il a attrapé la canne et l'hameçon qui se balançait au-dessus du tas.

« Et où sont mes livres ?

– Et mon ballon ?

– Et mes boucles d'oreilles ? »

J'avais perdu, je le savais, et ne demandais maintenant plus qu'un sursis de quelques jours.

« Seulement jusqu'à ce que l'été soit complètement fini. »

Pas de pitié. J'ai quand même eu le droit d'emprunter une paire de tennis à Sofie, pour ne pas rentrer pieds nus à la maison.

Les tennis de Sofie étaient trop petites et m'écrasaient le gros orteil, et le chemin du retour de la scierie fut beaucoup plus long que d'habitude. Je pleurais quand j'ai tourné dans ma rue pour marcher seule jusqu'à chez moi.

Je ne suis pas entrée mais je me suis assise dans la remise à vélos d'où je ne pouvais être vue ni de la rue, ni de la maison. J'ai arraché les tennis de Sofie et d'un coup de pied les ai envoyées balader dans un coin. L'image de mes deux sandales vertes à petits talons tout en haut du mont de signification ne voulait pas s'effacer.

J'ai regardé mes pieds nus et décidé que Gerda me le paierait.

6

Ça m'a pris trois jours pour trouver le point faible de Gerda mais pendant ces trois jours, j'ai été adorable avec elle.

Je ne m'étais jamais intéressée à Gerda. Elle avait une façon bien à elle de postillonner quand elle parlait, et encore plus quand elle riait, ce qu'elle faisait presque tout le temps. Et puis elle ne pouvait pas laisser Rikke-Ursula en paix, et Rikke-Ursula était ma meilleure amie et quelqu'un de spécial puisqu'elle ne portait, en plus des cheveux bleus et des six nattes, que des vêtements noirs. Si ma mère ne s'était pas entêtée à tout saboter avec des achats colorés, j'aurais pu, moi aussi, n'avoir que des vêtements noirs. À l'heure qu'il était, je devais me contenter d'un pantalon noir, de deux tee-shirts noirs avec des jeux de mots en anglais et d'un pull en laine noire trop chaud pour ce début septembre.

Mais maintenant, c'était de Gerda qu'il s'agissait.

On a échangé des élastiques à cheveux, j'ai chuchoté avec elle à propos des garçons et lui ai fait croire que j'aimais bien le grand Hans (ce qui n'était pas vrai du tout, mais, même si on ne doit pas mentir, c'était ce que mon grand frère appelait un cas de « force majeure » ; je n'étais pas tout à fait sûre de ce que ça voulait dire, mais en tout cas, ça impliquait que l'on avait, exceptionnellement, le droit de mentir).

Les deux premiers jours ne furent pas très concluants. Gerda ne tenait apparemment pas à grand-chose. Ou peut-être m'avait-elle vue venir. Il y avait bien de vieux chromos qui lui venaient de sa grand-mère maternelle, mais je savais qu'elle n'avait pas joué avec depuis la sixième.

Et puis elle m'a montré une photo de Tom Cruise dont elle était complètement mordue et qu'elle embrassait tous les soirs avant de dormir. Elle avait aussi toute une pile de romans-photos avec des médecins qui embrassaient des infirmières et qui vivaient ensuite heureux jusqu'à la fin de leurs jours. Je dois reconnaître que je les aurais bien empruntés et Gerda aurait sans doute versé une ou deux larmes de devoir s'en séparer, mais ça n'était quand même que des histoires et pas vraiment quelque chose. Non, c'est seulement le troisième jour que j'ai trouvé.

On était dans sa chambre, à boire du thé et à écouter une cassette offerte par son père, quand j'ai découvert son point faible. Les jours précédents, on avait été chez sa mère, et sa chambre était remplie de trucs de fille et de bibelots. Ce jour-là, nous étions chez son père, chez qui elle habitait une semaine sur deux. Et ce n'était ni la stéréo, ni le fauteuil en plastique gonflable, ni les posters d'idoles sur les murs qui rendaient cette chambre différente de celle de chez sa mère, car là-bas aussi elle avait une stéréo et un fauteuil en plastique gonflable et des posters d'idoles aux murs. Ce qui rendait cette chambre spéciale, c'était, dans un coin, une énorme cage avec un tout petit hamster dedans.

Le hamster s'appelait Oscarpetit, et le lendemain, j'ai dit que c'était Oscarpetit que Gerda devait déposer sur le mont de signification.

Gerda a pleuré et m'a menacée de tout dire pour le grand Hans. Non mais ce que j'ai ri quand j'ai raconté que c'était un mensonge et un cas de *force majeure* ! Ça a fait pleurer Gerda encore plus et elle a dit que j'étais la plus dégoûtante qu'elle connaisse.

Après deux heures de larmes, elle était toujours inconsolable, et j'étais prête à regretter et à penser qu'elle avait peut-être raison. Mais alors, j'ai posé les yeux sur mes sandales vertes à petits talons en haut du tas et j'ai tenu bon.

Rikke-Ursula et moi sommes rentrées avec Gerda pour aller chercher Oscarpetit tout de suite. Il ne fallait pas lui laisser l'occasion de se défiler.

Le père de Gerda habitait dans une nouvelle maison mitoyenne en briques qui cachaient certainement du béton. Elle avait de grandes fenêtres qui coulissaient facilement et se trouvait de l'autre côté de Tæring où, il n'y avait pas si longtemps, on voyait encore des prairies et des moutons gris-brun. Que la maison soit de l'autre côté de Tæring rendait le trajet long et difficile, mais l'important, c'était les grandes fenêtres. Le père de Gerda était chez lui et il fallait faire sortir Oscarpetit sans qu'il le remarque. C'est pourquoi Rikke-Ursula s'était faufilée dans la chambre de Gerda, tandis que j'attendais dehors pour mettre Oscarpetit dans une vieille cage rouillée qu'on avait récupérée pour l'occasion. Gerda, elle, restait à renifler dans un coin de la chambre sans vouloir nous aider.

33

« Ferme-la, ai-je dit à la fin, ne pouvant plus supporter ses reniflements. Sinon ce sera un Oscarpetit mort qui finira sur le tas ! »

Gerda ne s'est pas arrêtée de renifler, mais elle a baissé le ton de ses lamentations à un niveau plus supportable. Et elle est ressortie de la maison sans que son père se soit douté de rien.

Oscarpetit était tacheté blanc et marron et vraiment mignon avec ses moustaches frémissantes, et j'étais bien contente de ne pas devoir le tuer. En revanche, la cage était lourde et encombrante, et le chemin vers la scierie abandonnée très long. On aurait dû emprunter la remorque du pieux Kaj. Mais comme on ne l'avait pas, on s'est relayées pour porter. Gerda aussi ; il n'y avait pas de raison qu'elle ne prenne pas sa part du mal à l'épaule qu'on a eu, Rikke-Ursula et moi.

Ça nous a pris un temps fou de retourner à la scierie, et Oscarpetit a couiné tout du long, comme si j'allais effectivement le tuer. Mais on a fini par arriver et on a pu déposer la cage dans la pénombre.

Gerda a eu le droit de la rendre plus confortable avec un peu de vieille sciure, elle a donné à Oscarpetit une portion supplémentaire de graines et un bol d'eau fraîche, puis je suis montée sur un escabeau et j'ai placé la cage au sommet du tas.

Je suis redescendue, j'ai déplacé l'escabeau, et j'ai regardé, admirative, le tas avec, tout en haut, la cage comme une étoile un peu de travers. Alors j'ai remarqué combien tout était silencieux dans la scierie.

Silence. Grand silence. Silence complet.

C'était si silencieux que je me suis rendu compte à quel point la scierie était grande et vide. J'ai pris conscience du nombre de crevasses et de fissures qui trouaient le sol sous la couche de sciure sale ; des toiles d'araignée qui couvraient les poutres et les chevrons ; des trous qu'il y avait dans le toit et du peu de vitres intactes. J'ai regardé autour de moi, puis d'un bout à l'autre de la scierie, pour finalement me tourner vers mes camarades.

Ils fixaient toujours la cage, muets.

C'était comme si Oscarpetit avait fait quelque chose au mont de signification, que ni mes sandales vertes, ni la canne à pêche de Sebastian, ni le ballon de Richard n'avaient fait jusqu'à présent. Je n'étais pas peu fière de ma trouvaille, et ça me vexait un peu que les autres ne se montrent pas plus enthousiastes.

C'est Ole qui est venu à mon secours.

« La vache, tout le sens que ça a ! s'est-il exclamé en me faisant face.

– Je me demande comment Pierre Anthon va contrer celle-là », a conclu le grand Hans, et personne n'a trouvé à y redire.

J'ai dû me pincer pour ne pas rougir de fierté.

Il était tard et la plupart d'entre nous devaient rentrer pour dîner. On a jeté un dernier regard admiratif sur notre volumineux tas, Sofie a éteint la lumière et refermé la porte derrière nous. Jan-Johan a mis le cadenas et on s'est très vite dispersés.

C'était le tour de Gerda.

7

Gerda n'était pas très inventive et a seulement demandé à ce que Maiken apporte son télescope. On savait tous qu'elle avait mis deux ans et toutes ses économies dans celui-ci, et qu'elle observait le ciel chaque fois qu'il y avait une nuit sans nuage, parce qu'elle voulait être astrophysicienne. Mais tout de même, ça ne valait pas grand-chose.

Maiken, elle, était plus maligne.

Sans perdre de temps à réfléchir, elle s'est tournée vers Frederik et a dit :

« Le Danebrog*. »

Frederik nous a paru devenir plus petit, plus mince, et s'est mis à secouer énergiquement la tête.

Il avait les cheveux bruns, les yeux marron et portait toujours une chemise blanche et un pantalon bleu à pli que les autres garçons faisaient de leur mieux pour froisser. Et comme ses parents, qui étaient mariés et non pas divorcés, et ne le seraient jamais, Frederik croyait au

---

* Nom du drapeau danois.

Danemark, en la famille royale, et il ne devait pas jouer avec Hussein.

Le Danebrog était descendu du ciel en douze cent quelque chose, professait Frederik, pour que le roi du Danemark puisse vaincre l'ennemi en Lettonie. Ce que le roi faisait en Lettonie, ça, Frederik ne pouvait pas le dire, et ça ne l'aurait pas aidé s'il l'avait pu. Nous, en tout cas, on se fichait du roi et de la Lettonie et on a commencé à brailler :

« Danebrog, Danebrog ! Frederik, va chercher le Danebrog ! »

Ça n'était pas une chanson très intéressante, mais on l'a chantée et rechantée et ça nous a énormément amusés. Peut-être surtout à cause de l'expression épouvantée sur le visage de Frederik.

Dans le jardin devant le pavillon rouge où Frederik habitait avec ses parents mariés et pas divorcés, se tenait le plus haut mât de Tæring. Et le Danebrog flottait en haut de ce mât, du lever au coucher du soleil, en toute occasion, fût-elle l'anniversaire de la reine ou de Frederik*, les dimanches et jours de fête. Chez Frederik, c'était le devoir et le plaisir de l'homme de hisser le drapeau, et depuis qu'il avait récemment eu quatorze ans, il était fier d'avoir hérité ce devoir et ce plaisir de son père.

Il était évident que Frederik ne livrerait pas le drapeau.

Mais nous avons été intraitables et, le lendemain, le Danebrog s'entassait sur le mont de signification.

* Il peut s'agir ici du garçon ou de l'actuel prince héritier du Danemark.

37

On a chanté *Le roi Christian se tenait près du grand mât*[*] au garde-à-vous, tandis que Frederik attachait l'étoffe rouge et blanc à la barre de fer que Jan-Johan avait trouvée derrière la scierie, et qui maintenant était plantée dans le tas.

Le Danebrog semblait beaucoup plus grand de près que lorsqu'il flottait en haut du mât, et ce que nous faisions m'a un peu inquiétée si on songeait à l'Histoire, à la Nation et tout ça.

Ça n'avait pourtant pas l'air de gêner les autres, et puis j'ai pensé à la signification et j'ai vu que Maiken avait visé juste : avec le Danebrog flottant à son sommet, le mont de signification avait vraiment l'air de quelque chose.

Quelque chose. Beaucoup. La signification !

Que Frederik puisse être méchant, personne ne s'y attendait. Mais il est monté dans notre estime quand il a réclamé le journal de Dame Werner.

Dame Werner était, comment dire : Dame Werner.

Et le journal de Dame Werner était une chose très particulière : relié en cuir sombre, ses pages remplies d'une élégante écriture serrée sur ce qui ressemblait à du papier huilé, mais qui n'était certainement pas si grossier que ça.

Dame Werner a dit oh, et non, et qu'il ne pouvait pas, en faisant des mouvements avec ses mains que nous, les filles, on a essayé d'imiter ensuite en nous tordant de rire.

Ça n'a pas servi à grand-chose.

---

[*] Hymne royal.

Le journal a rejoint le tas, sans sa clé cependant, car Frederik avait oublié de la demander, perdant ainsi notre récente considération aussi vite qu'il l'avait gagnée.

Dame Werner a dit d'une voix nasillarde et un peu condescendante qu'avec son journal, le mont de signification avait atteint un tout autre *niveau** – il avait une prédilection pour les mots venant du français, et que nous autres ne comprenions pas toujours. Quel qu'en soit le sens, c'est à cause du *niveau* qu'il a demandé pardon à Anna-Li, mais elle allait devoir apporter son certificat d'adoption.

Anna-Li était coréenne, bien que danoise, et n'avait jamais connu que ses parents danois. Elle ne disait jamais un mot et ne se mêlait jamais de rien, battait simplement des cils et regardait par terre quand quelqu'un lui parlait. Cette fois-là non plus elle n'a pas répondu. C'est Rikke-Ursula qui a protesté :

« Ça ne marche pas, Werner. Le certificat d'adoption, c'est comme le certificat de naissance. On ne peut pas s'en séparer.

– Ben, excusez-moi, a dit Dame Werner avec une indulgence affectée. Mon journal, c'est ma vie. Alors s'il peut être sur le tas, le certificat aussi. C'était pas ça l'idée, que ce tas devait avoir une signification ?

– Pas comme ça », a dit Rikke-Ursula en secouant la tête, ses six nattes battant l'air.

Dame Werner insistait poliment. On ne savait plus quoi lui objecter, continuant à réfléchir, quand, à notre stupéfaction, Anna-Li a pris la parole :

* En français dans le texte.

39

« Ça ne fait rien, a-t-elle commencé. Ou plutôt, ça fait beaucoup. Mais c'est aussi ça l'idée, sans quoi, le mont de signification n'aura aucune signification et Pierre Anthon aura raison de dire que rien n'a de sens. »

Anna-Li avait raison.

Le certificat d'adoption est venu grossir le tas, et quand Anna-Li a dit que la petite Ingrid devait y déposer ses béquilles neuves, personne ne l'a contredite.

La petite Ingrid a dû reprendre les vieilles.

On commençait à s'amuser avec la signification, et notre joie ne devait pas connaître sa fin avec la petite Ingrid, car elle a timidement soufflé qu'Henrik devait apporter le serpent dans le formol.

8

Il y avait six choses dans la salle de biologie qui valaient la peine qu'on les regarde : le squelette qu'on appelait *M. Hansen*, le demi-homme avec les organes amovibles, une carte de l'abdomen féminin, un crâne tout sec et un peu fendu qui portait le surnom de *partenaire d'Hamlet*, une fouine empaillée et le serpent dans le formol. De toutes, le serpent dans le formol était, de loin, la plus intéressante, et c'est pourquoi la trouvaille de la petite Ingrid était géniale.

Ça n'était pas l'opinion d'Henrik.

D'abord parce que le serpent était un cobra que son père avait mis longtemps, après de nombreuses lettres et négociations, à obtenir pour la collection de l'école. Et puis il était repoussant et cela donnait des frissons dans le dos chaque fois qu'il nous arrivait de le regarder. Avec ses taches dignes d'un animal préhistoriques et ses écailles serrées, le corps était enroulé en une interminable spirale au fond du bocal, la tête était dressée, en alerte, sa nuque en saillie déployée comme pour l'attaque, et à tout instant, on s'attendait à voir jaillir le jet de salive paralysant de la gueule rose, sifflante.

Personne ne touchait le bocal volontairement.

Ou en tout cas, pas pour moins de dix couronnes.

Henrik soutenait bêtement et obstinément que le serpent n'avait pas sa place sur le mont de signification. Ça a donc bien aidé quand, à la récréation, Hussein a tenu le bocal avec le serpent (c'était Ole qui payait) au-dessus de la tête d'Henrik en disant qu'il le lui casserait sur le front s'il ne l'apportait pas sur le tas.

Nous étions tous très impatients et on tenait à ce que ça se fasse très vite. On voulait en finir, pour clouer le bec à Pierre Anthon. Les prunes commençaient à être bien mûres, et il nous crachait dessus des noyaux visqueux en criant ses trucs et ses machins.

« Qu'est-ce que vous croyez, les filles, avec vos jules ? avait-il lancé le matin même quand j'étais passée devant le 25 rue de Tæring, bras dessus, bras dessous avec Rikke-Ursula. D'abord on est amoureux, et puis on sort ensemble, et puis on ne s'aime plus et on se sépare.

– Ta gueule ! » a crié Rikke-Ursula très, très fort.

Peut-être se sentait-elle particulièrement visée, car on venait justement de parler de Jan-Johan et de ces sentiments impossibles à contrôler ou même à comprendre.

Pierre Anthon a ri et a continué, amical :

« Et c'est comme ça chaque fois, jusqu'à ce que vous soyez tellement fatiguées de cette rengaine que vous choisissiez de faire comme si celui qui se trouvait dans le coin à ce moment-là était l'unique. Quand j'y pense !

– Mais ta gueule ! » ai-je répété et je me suis mise à courir. Parce que même si je n'avais pas de petit ami et ne savais pas qui ça aurait pu être si j'avais dû en choisir un à l'instant, j'en voulais un, et vite. Et Pierre Anthon ne devait absolument pas se mêler de gâcher mon histoire d'amour avant même qu'elle ne se réalise.

Rikke-Ursula et moi, on a couru le reste du chemin jusqu'à l'école. On ne se souvenait pas d'avoir jamais été d'aussi mauvaise humeur et en même temps. Ça n'a rien arrangé que la belle Rosa nous rappelle que Pierre Anthon était sorti une fois avec Sofie pendant deux semaines, qu'ils ne s'étaient même pas embrassés que c'était déjà fini, et qu'ensuite Sofie était sortie avec Sebastian, pendant que Pierre Anthon sortait avec Laura.

Cette histoire sonnait un peu trop comme quelque chose que je ne voulais pas entendre. Et peut-être aussi un peu trop comme ce que Pierre Anthon avait dit.

Je ne sais pas précisément quand Henrik a trouvé le moyen de faucher le serpent dans la salle de biologie, ou comment il l'a apporté à la scierie désaffectée sans être vu. Je sais seulement que Dennis et Richard l'y ont aidé, et que la façon dont le serpent remuait était dégoûtante, comme s'il était vivant, quand ils ont levé le bocal pour le placer en haut du tas.

Même Oscarpetit n'a pas apprécié.

Le hamster a couiné pitoyablement et s'est blotti dans le coin le plus éloigné de sa cage, et Gerda s'est mise à pleurer en disant qu'il fallait mettre du papier journal autour du bocal.

Mais le cri d'Oscarpetit avait rendu le serpent encore plus important, et personne n'a été d'accord pour l'empaqueter.

Au lieu de ça, on a attendu en ne quittant pas Henrik des yeux.

9

Henrik était un vrai lèche-cul.

Il a demandé les gants de boxe d'Ole. La seule chose qui était drôle là-dedans, c'était qu'Ole tenait malgré tout à ses gants, et puis qu'ils étaient rouges et allaient bien avec le Danebrog.

Ole, en revanche, a réfléchi huit jours entiers avant d'annoncer ce qu'il voulait.

Si ça n'avait pas été Ole et si son idée n'avait pas été aussi grandiose, on aurait tous été furieux contre lui. Parce que pendant qu'il réfléchissait, on avait recommencé à devoir supporter les invectives de Pierre Anthon dans son prunier.

« On va à l'école pour avoir un travail, et on travaille pour prendre des congés. Pourquoi ne pas se mettre en congé dès le début ? » avait-il hurlé en nous crachant des noyaux de prune.

C'était comme si le mont de signification rétrécissait, et perdait de son sens. C'était insupportable.

« Attends de voir ! ai-je crié aussi fort que j'ai pu, devant aussitôt faire un écart pour éviter une prune grasse qui arrivait, sifflante.

– Il n'y a rien à attendre, a clamé Pierre Anthon, méprisant. Et il n'y a absolument rien à voir. Et plus on attend, moins il y aura à voir ! »

J'ai mis mes mains sur mes oreilles et j'ai pressé le pas jusqu'à l'école.

Ça n'était pas mieux là-bas, car les professeurs en avaient après nous. Ils n'avaient pas de doute sur le fait que c'était notre classe qui était derrière la disparition du serpent dans le formol. Aussi, comment Henrik avait-il pu être assez bête pour le piquer juste après un de nos cours de biologie ?

On était tous collés une heure après les cours, tous les jours, jusqu'à ce que l'un d'entre nous dise où était le bocal. C'est-à-dire nous tous sauf Henrik, puisque son père était sûr que ça ne pouvait pas être lui.

Lécheur d'Henrik ! Lèche-cul ! Lèche-cul d'Henrik !

Non mais ce qu'on a pu le maudire, en attendant le jour où le tas serait fini, où Pierre Anthon l'aurait vu, et où on pourrait révéler toute l'histoire, pour que ce lèche-cul de lécheur d'Henrik puisse recevoir ce qu'il méritait.

Mais pour l'instant il se promenait en frimant.

En fri, en mant, en frimant !

En tout cas jusqu'à ce que le grand Hans mette la main sur lui et lui frotte consciencieusement les oreilles, qu'il crie grâce et qu'il l'obtienne, car entre-temps son père avait abandonné les retenues.

« Le petit frère d'Elise », a enfin dit Ole, et ça a été comme un coup de vent à travers la scierie.

C'était l'après-midi. On était assis au pied du mont de signification, et on savait tous ce que cela impliquait. Le petit frère d'Elise était mort âgé de deux ans à peine. Il était enterré sur la colline du cimetière. Ce que disait Ole, c'était qu'on devait déterrer son cercueil et le porter tout le long du chemin jusqu'à la scierie et le mont de signification. Ça signifiait aussi que cela devait avoir lieu de nuit, à la faveur de l'obscurité, si on ne voulait pas être découverts.

On a tous regardé Elise.

Peut-être espérait-on qu'elle allait dire quelque chose qui rendrait l'entreprise impossible.

Elise n'a rien dit. Son petit frère avait été malade de sa naissance à sa mort, et pendant tout ce temps ses parents n'avaient rien fait d'autre que s'en occuper, tandis qu'Elise traînait dans la rue, avait de mauvaises notes, devenait une mauvaise fréquentation, pour finir par déménager chez ses grands-parents. Jusqu'à la mort du petit frère six mois plus tôt, où elle avait réemménagé chez elle.

Je ne crois pas qu'Elise ait été vraiment triste de la mort de son petit frère. Je ne crois pas non plus qu'elle ait été triste qu'il doive être déterré pour être placé sur le mont de signification. Je crois tout simplement qu'Elise craignait ses parents plus que nous, raison pour laquelle elle a dit, après un long silence :

« On ne peut pas.

– Bien sûr qu'on peut, a dit Ole.

– Non, on ne doit pas faire une chose pareille. » Elle fronçait les sourcils.

« On s'en fiche si on doit ou pas. On le fait, c'est tout.

– C'est un sacrilège, est intervenu le pieux Kaj, et c'est lui, plus qu'Elise, qui a avancé des objections. Nous nous attirerons le châtiment de Dieu, a-t-il dit. Les morts doivent reposer en paix. »

Paix. La grande paix. Paix de la tombe.

Les objections du pieux Kaj ont été vaines.

« On doit être six, a dit Ole, persévérant. Quatre pour creuser à tour de rôle et deux pour monter la garde. »

On s'est regardés. Personne ne s'est porté volontaire.

« On tire au sort », a dit Ole.

On a discuté longtemps de la façon dont on devait tirer au sort. Finalement, on est tombés d'accord sur le fait de piocher des cartes, les quatre les plus fortes allant au cimetière. Oui, il fallait seulement en tirer quatre, puisqu'il était évident qu'Ole et Elise étaient deux des six.

J'ai dit que je pouvais courir chez moi chercher un jeu de cartes, mais il se faisait tard, et on a décidé que le tirage au sort aurait lieu le lendemain. L'exhumation devait avoir lieu dès le soir suivant. Sauf s'il pleuvait.

J'ai toujours aimé jouer aux cartes, et j'ai toujours eu beaucoup de jeux différents. Le dîner à peine terminé, je suis allée dans ma chambre, j'ai fermé la porte et je les ai sortis.

Il y en avait des classiques, avec un dessin bleu et rouge, qui ne convenaient pas. Les jeux miniatures n'allaient pas non plus. Ni ceux avec une tête de cheval au dos, ou ceux avec des clowns, ou encore ceux où les valets et les rois ressemblaient à des sultans arabes.

Il ne me restait plus qu'un jeu. Et en fait, il convenait parfaitement, parce que le dos des cartes était noir avec un fin liseré or, et comme je ne les avais presque jamais utilisées, le liseré était intact et luisant. Ce serait celui-là.

J'ai rangé les autres jeux et j'ai étalé les cartes bordées d'or sur mon bureau. Je les ai longuement examinées.

Elles avaient quelque chose de funeste. Pas seulement les figures, avec la reine qui ressemblait à une sorcière et le roi au regard perçant, ni les trèfles trop noirs ou les piques pointus, mais aussi les carreaux et les cœurs carmins qui, plus que tout, m'ont fait précisément penser à ce à quoi je ne voulais pas penser.

Ou peut-être étais-je prête à hésiter à l'idée de déterrer le cercueil du petit Emil.

Déterrer. Enterrer... des litres d'une chose à laquelle je ne voulais pas songer.

J'avais deux options.

Je pouvais prendre un deux, le glisser dans ma poche et, d'une manière ou d'une autre, l'échanger avec la carte que je tirerais le lendemain. Je pouvais aussi faire une marque sur un des deux de façon à le reconnaître lorsque viendrait le moment de tirer une carte, mais sans qu'aucun des autres s'en aperçoive.

Sans savoir comment j'allais faire pour que les autres ne le voient pas, j'ai choisi la deuxième option. Car si quelqu'un s'avisait de compter les cartes avant le tirage au sort, je serais découverte tout de suite. Faire une marque était donc plus sûr.

Après mûre réflexion, j'ai gratté le liseré aux quatre coins du deux de pique. Ensuite, par prudence, j'ai fait la même chose avec les trois autres deux. Avec un peu de bonne volonté, ça pouvait ressembler à de l'usure accidentelle, et avec ça j'étais couverte. Ce ne serait pas moi qui devrais sortir déterrer le petit frère d'Elise au milieu de la nuit.

Le lendemain, il régnait une étrange agitation étouffée dans la classe.

Personne n'a fait de calembours, personne n'a fait circuler de mot, et personne n'a lancé d'avion en papier. Même pas avec le remplaçant en cours de maths. Pourtant il y avait beaucoup de bruit. Des chaises balancées d'avant en arrière, des tables poussées d'un côté puis de l'autre, des stylos égratignant le rebord de la table et des extrémités de crayon mâchonnées.

Les heures se traînaient et passaient bien trop vite en même temps.

C'était l'après-midi qu'on appréhendait. Tous sauf moi. Je souriais calmement à ma place et gagnais quelques + sur mon carnet de notes, étant la seule à faire un effort pour répondre aux questions du professeur Eskildsen sur le temps, le vent et les gens en Amérique, non seulement du Nord, mais aussi du Sud. De temps en temps, je laissais comme par hasard mon doigt glisser le long de la tranche des cartes noir et or dans le sac, m'assurant encore une fois que je sentais bien le bord rugueux de quatre d'entre elles.

Quand la fin du dernier cours a sonné, on avait déjà rangé nos affaires, et, trois par trois, on s'est éparpillés dans plusieurs directions. On a emprunté quatre routes différentes pour se rendre à la scierie abandonnée et jamais plus de quelques-uns à la fois. Sans cela, les adultes auraient forcément eu des soupçons et auraient commencé à causer.

Il s'est à peine écoulé vingt minutes entre la sonnerie et l'arrivée des trois derniers. J'ai tiré les cartes noires de mon cartable et les ai tendues à Jan-Johan. Il les a regardées longuement, et j'ai dû détourner le regard pour ne pas fixer trop visiblement ses mains qui paraissaient chercher des marques dessus. Je n'ai pourtant pas pu m'empêcher de sourire quand, finalement satisfait, il s'est mis à les battre soigneusement.

Jan-Johan a coupé et a posé le paquet de cartes sur une planche qui reposait en travers de deux tréteaux.

« Bon, a-t-il dit. Pour qu'il n'y ait pas de tricherie, on prend tous la carte qui se trouve sur le dessus du paquet. Le deux est la plus faible, l'as la plus forte. Mettez-vous en rang... »

Il a dit quelque chose d'autre, mais je n'ai pas entendu. Tout d'un coup, j'ai été prise d'une terrible envie de faire pipi, j'étais glacée comme si j'allais être malade. Si seulement j'avais choisi la première solution, j'aurais été là avec un deux dans ma poche !

Il n'y avait rien à faire. J'ai dû sagement me placer quelque part au milieu de la queue derrière Rikke-Ursula et faire comme si de rien n'était.

Tous piétinaient nerveusement, et c'était comme si la queue avançait, même quand elle ne bougeait pas. Seuls Ole et Élise avaient un air détaché, se tenant là à regarder, rire et faire des blagues, indifférents au fait que personne ne veuille faire comme eux.

Gerda a tiré la première carte et n'a semblé ni soulagée ni déçue, la gardant seulement contre sa poitrine après l'avoir vue. Le grand Hans a éclaté d'un rire moqueur et a présenté un trois pour qu'on le voie tous bien. Sebastian a ri aussi, mais pas tout à fait aussi fort ; il avait eu un huit de carreau. L'un passant après l'autre, la queue avançait, certains jubilaient, quelques-uns restaient silencieux, mais la plupart faisaient comme Gerda et gardaient la carte contre eux pendant que les autres tiraient.

Ça a été le tour de Rikke-Ursula. Elle a hésité quelques secondes, puis a soulevé la carte du dessus et laissé échapper un soupir de soulagement. Elle avait tiré un cinq. C'était mon tour.

J'ai su tout de suite que ce n'était pas un deux qui était sur le dessus de la pile. Le premier bord rugueux était visible plusieurs cartes plus bas. Un instant, je me suis demandé comment je pourrais faire tomber le paquet pour que ça ait l'air d'un accident, et ensuite ramasser les cartes en faisant apparaître comme par hasard le deux en premier. Mais Richard me pressait par-derrière, et je n'ai rien pu faire d'autre que soulever la carte dont le liseré était entier et étincelant sur les quatre côtés.

As de pique.

La poisse sera toujours la poisse.

Je ne me suis pas évanouie.

Mais le reste du tirage au sort s'est déroulé sans que je m'aperçoive de quoi que ce soit. Quand je suis revenue à moi, je me tenais en cercle avec Ole, Elise, Jan-Johan, Richard et le pieux Kaj. À partir de ce moment-là, c'est Ole qui a pris le commandement.

« On se retrouve à onze heures dans la remise à vélos de Richard. Il n'y a pas loin de là au cimetière.

– C'est vraiment pas une bonne idée, a dit le pieux Kaj d'une voix tremblante. Je pourrais être expulsé de la Mission.

– Je ne crois pas non plus que ce soit une bonne idée. »

Elise aussi commençait à se dégonfler.

« Tu ne peux pas trouver autre chose ? Ma montre par exemple. »

Elise tendait le bras pour qu'on voie tous la montre-bracelet rouge que son père lui avait achetée quand elle avait déménagé chez ses grands-parents.

Ole a secoué la tête.

« Mon discman ? » Elise a frappé la poche de sa veste, dans laquelle on savait qu'elle gardait la merveille, qui ne pouvait être concurrencée.

Je ne crois pas qu'Elise ait été triste de devoir exhumer son petit frère. Je crois qu'elle avait peur que ses parents ne le découvrent et ne la renvoient pour toujours. Parce que, lorsque Ole a répondu qu'il n'en était pas question, elle n'a pas insisté, ajoutant simplement :

« Il faudra se rappeler précisément la façon dont les fleurs sont disposées, pour pouvoir les remettre en place après. »

Alors Ole a donné l'ordre à Jan-Johan de prendre une pelle. L'autre, on l'emprunterait directement dans la cabane à outils des parents de Richard. Le pieux Kaj devait venir avec sa remorque à journaux, Elise et moi apporterions chacune une lampe de poche. Ole, lui, était chargé de trouver un balai pour nettoyer le cercueil.

Sur la fin, le pieux Kaj avait l'air très affecté, et je crois qu'il se serait mis à pleurer si Ole n'avait pas justement dit à ce moment-là que c'était d'accord : à onze heures dans la remise à vélos de Richard.

10

J'avais programmé la sonnerie du réveil pour dix heures et demie, mais je n'en ai pas eu besoin. Je n'avais pas réussi à dormir, j'étais restée allongée sur mon lit, les yeux ouverts, une bonne heure et demie avant d'avoir à me lever. À dix heures vingt-cinq précises je me suis glissée hors du lit, j'ai désactivé l'alarme du réveil, et j'ai mis un jean et un pull. Puis j'ai enfilé mes bottes en caoutchouc et attrapé la lampe de poche que j'avais préparée sur la table. J'entendais faiblement la télévision du salon. Par chance, notre maison n'avait pas d'étage. J'ai pu passer par la fenêtre de ma chambre sans me faire remarquer, y coinçant un livre pour qu'elle ne se referme pas, et me mettre en route.

Il faisait plus froid que je ne m'y étais attendue.

Je grelottais dans mon pull fin et devais me battre les côtes pour me réchauffer. J'avais caressé l'idée de rester dans mon lit, mais ça n'aurait pas aidé, Ole ayant prévenu que si quelqu'un n'était pas au rendez-vous chez Richard, les autres rentreraient chez eux, et ce quelqu'un devrait se débrouiller tout seul le lendemain soir. La pensée de me retrouver seule dans le cimetière en pleine nuit suffisait à me faire accélérer. Et puis ça me réchauffait de courir.

Il était à peine onze heures moins dix quand je suis arrivée à la remise à vélos de Richard. Jan-Johan et le pieux Kaj étaient déjà là. Elise n'a pas tardé à se montrer, suivie de Richard. Enfin, à onze heures précises, Ole est apparu.

« Allons-y », a-t-il dit après s'être assuré que tout était prêt : les deux pelles, les lampes de poche et la remorque à journaux du pieux Kaj.

Pas un de nous n'a prononcé un mot tandis qu'on se glissait dans les rues qui menaient à l'église.

La ville aussi était silencieuse.

Il n'y avait jamais beaucoup de vie le soir à Tæring, encore moins un simple mardi soir, tard.

On a marché en longeant les haies dans la rue de Richard, tourné dans celle où Sebastian et Laura habitaient ; on est passés en courant devant la boulangerie, on s'est faufilés dans le chemin derrière la maison de Rikke-Ursula jusqu'à la grand-rue de Tæring et on a atteint la colline du cimetière sans avoir rencontré qui que ce soit d'autre que deux chats en chaleur qu'Ole a chassés d'un coup de pied.

La colline du cimetière était escarpée et le chemin entre les tombes recouvert de gravier. On a dû abandonner la remorque à journaux devant le portail de fer forgé. Le pieux Kaj n'était pas franchement d'accord mais Ole l'a menacé de lui flanquer une raclée s'il faisait encore des histoires.

Autrefois, les allées blafardes étaient lugubrement éclairées par des réverbères. Aujourd'hui, de grands sapins séparaient le cimetière de la rue, et s'ils nous protégeaient des regards indiscrets au cas où quelqu'un serait venu à passer, ils masquaient aussi l'éclairage de la rue qui nous manquait à présent.

Il n'y avait pas d'autre lumière que celle de la demi-lune et de la petite lanterne hexagonale placée à l'entrée de l'église ; à l'exception, bien sûr, des deux fins rayons que nos lampes de poche découpaient dans l'obscurité.

Noir. Plus noir. Peur du noir.

Je n'appréciais déjà pas beaucoup d'être au cimetière, mais à cette heure-là, c'était tout à fait intolérable. Le gravier crissait distinctement sous nos pieds malgré les précautions qu'on prenait pour se déplacer. Je comptai jusqu'à cent dans ma tête, encore et encore, à rebours et encore une fois.

Cinquante-deux, cinquante-trois, cinquante-quatre...

On a dû chercher un peu dans l'obscurité avant qu'Elise ne se repère et ne nous guide jusqu'à la tombe de son petit frère. Soixante-dix-sept, soixante-dix-huit, soixante-dix-neuf... C'était là. Sur la pierre tombale, on pouvait lire : *3.1.1990 – 21.2.1992, Emil Jensen, notre fils et petit frère bien-aimé.*

Je regardai Elise et osai parier qu'elle n'était pas d'accord avec le *petit frère bien-aimé*. Mais je voyais bien cependant pourquoi il avait sa place sur le tas. C'était tout de même quelque chose de particulier, un petit frère. Même s'il n'avait pas été vraiment aimé.

La tombe était en marbre et vraiment jolie avec deux colombes dessus, et des fleurs rouges, jaunes et violettes devant. J'étais au bord des larmes et j'ai dû lever les yeux vers le ciel, les étoiles, la demie-lune et penser à ce que Pierre Anthon avait dit le matin même : que la lune tournait autour de la terre en vingt-huit jours, alors que la terre tournait autour du soleil en un an.

Ça a stoppé mes larmes, mais je n'osais plus regarder la pierre et les colombes.

À ce moment-là, Ole nous a envoyées, Elise et moi, chacune dans une direction pour faire le guet. Il a gardé les lampes de poche. Les garçons devaient les utiliser pour voir où ils creusaient, a-t-il dit, et on a dû se débrouiller pour trouver notre chemin jusqu'à l'église entre les tombes, à la seule lumière du clair de lune qui rendait tout fantomatique et presque bleu.

Elise se tenait à l'entrée de derrière, de l'autre côté de l'église, non loin de la maison du pasteur, mais très loin de là où j'étais, moi. On ne pouvait naturellement pas se parler. On ne pouvait pas non plus se réconforter du regard.

Je tâchais de me concentrer sur l'étude de l'église, rustique et blanche, avec des portes sculptées en bois clair et, tout en haut, des vitraux teintés qui, à cette heure, semblaient plus sombres que colorés. Je m'étais aussi remise à compter. Un, deux, trois…

Un étrange bruit sourd me parvenait du cimetière, où l'on creusait, chaque fois qu'une pelle heurtait la terre. Un bruit sourd, et puis un bruissement lorsque la terre glissait de la pelle. Bruit sourd, bruissement sourd.

Au début, les coups de pelle se succédaient rapidement. Puis un choc : les garçons avaient atteint le cercueil, et maintenant ça commençait à aller plus lentement. Je savais qu'ils creusaient au plus près du cercueil pour avoir à creuser le moins possible. D'y penser m'a fait froid dans le dos. Il fallait que je me ressaisisse. J'ai regardé les sapins et j'ai décidé de les compter.

Il y en avait dix-huit grands et sept petits le long du chemin qui montait de la rue à l'église. Leurs branches ondoyaient légèrement dans un vent que je ne sentais pas, à l'abri derrière le mur du cimetière. J'ai fait deux petits pas en avant, un sur le côté et deux en arrière. Et de nouveau, cette fois dans l'autre sens. Et encore une fois, en une petite danse que je composais dans ma tête. Un, deux, sur le côté. Un, deux, en arrière. Un, deux, sur le côté...

Je me suis interrompue net.

J'avais entendu quelque chose. Comme du gravier foulé par un pied. J'ai regardé en direction du chemin sans rien y voir. Si seulement j'avais eu la lampe. Ça a recommencé.

Crrriiichh.

Ça venait du bout du chemin, en bas, vers le portail. J'ai eu tout à coup une irrésistible envie de faire pipi, et j'étais prête à courir vers les garçons, quand je me suis souvenue de ce qu'Ole avait dit et j'ai su qu'il m'en ficherait une si j'accourais. J'ai pris une profonde inspiration, j'ai joint les mains et poussé un hululement sombre en soufflant entre mes deux pouces.

« Ouhhhhh », ça a fait doucement.

Le gravier a crissé de nouveau et j'y ai mis toutes mes forces.

« Ouhhhh-ouhhhh. »

Ole se tenait maintenant à côté de moi.

« Qu'est-ce qu'il y a ? » a-t-il murmuré.

J'avais tellement peur que j'étais incapable de répondre. J'ai simplement tendu le bras et indiqué le chemin.

« Viens », a dit Ole, et comme j'avais aussi peur de lui désobéir que de ce qui produisait ce son crissant, je l'ai suivi entre les sapins, là où l'obscurité était la plus profonde.

On a fait quelques pas, puis il s'est brusquement arrêté et s'est mis à guetter. Je me tenais derrière lui et ne voyais rien. Il n'y avait manifestement rien à voir, puisque Ole a recommencé à avancer à pas furtifs. On se déplaçait très lentement pour ne faire aucun bruit. Mon cœur battait à en résonner dans mes oreilles et j'avais l'impression qu'on se glissait entre les arbres depuis des heures.

Soudain, Ole a écarté les branches et a surgi sur le chemin.

« Ha ! » a-t-il ricané. J'ai alors jeté un œil par-dessus son épaule et j'ai eu honte.

C'était juste Cendrillon, la vieille chienne de Sørensen, qui, depuis sa mort, refusait de vivre ailleurs que sur sa tombe. Rendue curieuse par le bruit des pelles, la chienne gravissait lentement la colline sur ses pattes percluses de rhumatismes. Par chance, Cendrillon n'était pas douée pour aboyer. Elle nous a simplement regardés, intéressée, et a flairé mes jambes. Je lui ai tapoté la tête et suis retournée à mon poste.

Un peu plus tard, Ole a sifflé.

Ils avaient fini de creuser, le petit cercueil était posé dans l'allée de gravier et semblait seul et terriblement triste, mais on n'avait pas le temps d'y penser parce qu'un autre problème se posait. Les garçons avaient remis toute la terre qu'ils avaient retournée dans le trou et malgré ça, il n'était plein qu'aux trois quarts.

On était confrontés à une loi de la physique qu'on n'avait pas apprise : pour tout corps retiré de la terre, le niveau de celle-ci, à l'endroit où le corps se trouvait, baisse d'une valeur égale au volume dudit corps.

N'importe qui, s'approchant de la tombe du petit Emil Jensen, pourrait voir que le petit Emil Jensen n'y était plus. C'est à ce moment qu'Elise a commencé à pleurer sans pouvoir s'arrêter, même si Ole le lui ordonnait.

On est tous restés là sans savoir quoi faire. Et puis j'ai eu l'idée de faire rouler quelques pierres ornant d'autres tombes dans le trou et de les recouvrir de terre. Elles manqueraient certainement au gardien du cimetière, mais il ne devinerait jamais qu'elles se trouvaient dans la tombe d'Emil Jensen. Pourvu qu'on n'oublie pas de replacer les fleurs à l'identique.

Ça nous a pris un bon bout de temps pour les faire basculer jusque dans la tombe du petit Emil. Surtout parce qu'on n'a pas osé prendre des pierres avoisinantes, afin d'éviter que quiconque ne remarque qu'on avait creusé récemment à cet endroit. Mais finalement ça y était, le tout bien recouvert de terre et de gravier, et de fleurs enfin, qui avaient un peu souffert au cours des événements, mais qui passaient quand même, une fois dépoussiérées avec le balai d'Ole.

Minuit a sonné à la mairie alors qu'on finissait juste et qu'on se tournait vers le cercueil.

Je me suis figée et j'ai vu malgré l'obscurité que les garçons pâlissaient. L'horloge de la mairie rendait un son profond et grave, et chaque coup résonnait comme la plainte d'un fantôme sur les tombes.

Bonnng ! Bonnng ! Bonnng !

Personne n'a bougé.

Je n'osais ni regarder, ni fermer les yeux, et fixais Jan-Johan comme s'il était l'unique image que j'oserais accepter sur ma rétine.

Je n'ai pas compté les coups mais il semblait y en avoir bien plus que douze. Après une éternité, le dernier a retenti, et tout est redevenu silencieux.

On s'est dévisagés anxieusement, puis Jan-Johan s'est éclairci la voix et a désigné le cercueil.

« Allez, il faut continuer », a-t-il dit, et j'ai remarqué que, subtilement, il évitait d'utiliser le mot cercueil.

Il avait dû être beau et peint en blanc quand le petit frère d'Elise y avait été déposé. Maintenant, la peinture y faisait des cloques répugnantes, se craquelait et n'était plus du tout belle. Un ver de terre rampait sur un coin du cercueil et le pieux Kaj a refusé de le soulever tant qu'Ole ne l'aurait pas retiré avec le balai. Puis ils l'ont porté, tous les quatre : Ole et le pieux Kaj d'un côté, Richard et Jan-Johan de l'autre. Elise, qui s'était arrêtée de pleurer aux douze coups de minuit, marchait devant avec une des lampes de poche, je fermais la marche avec l'autre.

Le cercueil était plus lourd qu'ils ne s'y étaient attendus et les garçons suaient et soufflaient, mais Ole ne voulait pas les laisser se reposer avant d'avoir atteint la rue. Ça m'arrangeait. Je ne voyais aucune raison de s'attarder davantage au cimetière.

Derrière moi, le gravier craquait.

En effet, la Cendrillon de Sørensen nous suivait doucement comme la pleureuse du cortège. Au début, c'était bien agréable et ça nous rendait presque plus courageux, mais quand on a rejoint la rue, que le cercueil a été installé sur la remorque à journaux et qu'elle ne nous lâchait toujours pas, on a commencé à s'inquiéter.

Ce serait un problème si, le lendemain matin, il manquait au gardien du cimetière non seulement deux grosses pierres, mais aussi Cendrillon. C'était pourtant sans issue. Dès que l'un de nous retournait au cimetière avec elle, Cendrillon revenait en trottant.

Après avoir essayé de s'en débarrasser quatre fois, on en a eu assez et on a décidé de la laisser nous suivre jusqu'à ce qu'elle renonce d'elle-même. Mais elle ne l'a jamais fait, et quand on est arrivés à la scierie abandonnée, qu'on a composé le code du cadenas et ouvert la porte, elle a été la première à se glisser à l'intérieur.

J'ai allumé et les garçons sont entrés. Dans la lumière crue des néons, le cercueil n'était soudain plus aussi sinistre. C'était seulement un enfant mort avec du bois autour, ai-je pensé, et je me suis rapprochée. Le cercueil avait été posé au pied du mont de signification, car trop lourd pour être hissé dessus.

On était trop fatigués pour se soucier de Cendrillon et on l'a laissée tranquille, on a éteint la lumière, fermé la porte, et on est repartis rapidement à travers la ville. Au bout de ma rue, j'ai dit au revoir et suis rentrée chez moi plus vaillante que je n'en étais partie.

Le livre était toujours dans l'entrebâillement de la fenêtre, je suis entrée et me suis couchée sans réveiller personne.

11

Ce que les autres ont été sidérés quand ils ont vu le cercueil avec la Cendrillon de Sørensen couchée dessus !

Nous, les six de la nuit, on avait bien un peu sommeil en classe, mais on ne s'est pas laissés aller. Au contraire ! L'histoire a été chuchotée au voisin, qui l'a chuchotée au voisin et ainsi de suite de table en table, jusqu'à ce qu'Eskildsen furieux nous crie qu'il voulait le calme. Il y a eu un instant de silence, et puis on a recommencé à murmurer et à chuchoter, et le professeur Eskildsen a dû de nouveau crier.

Interminable, le dernier cours a traîné, jusqu'à ce qu'on puisse filer chacun de son côté vers la scierie abandonnée. Et, là aussi de façon interminable, notre héroïsme et nos aventures de la nuit au cimetière ont été noircis, grandis ou rendus plus sinistres chaque fois que le récit était repris.

Les jours suivants, il n'y avait pas une personne en ville qui ne parlait du saccage du cimetière.

Deux des pierres ornant les tombes avaient été volées, quelqu'un avait piétiné la tombe du petit Emil Jensen, et la Cendrillon de Sørensen avait disparu. Personne ne déplorait cependant ce dernier point, parce que c'était de toute façon un peu honteux, un bâtard pareil dans le cimetière, qui urinait partout et laissait derrière lui pire encore, on ne savait jamais où.

Personne ne nous a soupçonnés.

Ma mère m'a bien demandé d'où provenaient le gravier et la terre sur le tapis de ma chambre, mais j'ai juste répondu que j'étais allée retrouver Sofie dans le champ derrière chez elle et que j'avais oublié de retirer mes bottes en caoutchouc en rentrant. Et même si je me suis fait passer un savon pour les bottes, ce n'était rien comparé à ce que ç'aurait été si ma mère avait découvert où j'étais en réalité.

C'est Cendrillon qui nous a causé les plus grosses difficultés.

Elle refusait de s'éloigner plus de quelques minutes du cercueil du petit Emil, dont elle croyait probablement qu'il contenait les restes de Sørensen.

Par ailleurs, on ne pouvait pas la sortir en plein jour. Si quelqu'un la voyait avec l'un d'entre nous, il ferait facilement le lien avec l'affaire du cimetière. Sofie, qui était celle qui habitait le plus près de la scierie, ne pouvait cependant pas la sortir après la tombée de la nuit. Elle n'avait pas le droit de rester tard dehors, et ses parents trouvaient déjà qu'elle passait bien trop de temps avec nous. C'est Elise qui a trouvé la solution.

C'était comme si elle avait commencé à mieux aimer son petit frère décédé, depuis que son cercueil avait été placé sous notre responsabilité. Et c'est peut-être parce que Cendrillon montait la garde auprès du cercueil qu'elle s'était mise à aimer particulièrement la chienne.

Enfin, pour une raison ou pour une autre, elle a proposé de venir tous les soirs à la scierie et de faire prendre l'air à la chienne. C'était la mi-septembre et la nuit tombait vers huit heures et demie, elle avait donc juste le temps de rentrer pour aller se coucher. De toute façon, ses parents se fichaient du fait qu'elle reste tard dehors, nous a-t-elle dit, avec l'air de ne pas savoir si ça la réjouissait ou l'attristait.

« Il y a encore une chose », a-t-elle ajouté.

On l'a regardée, surpris. Angoissés par l'affaire du cimetière, on avait oublié que c'était le tour d'Elise de désigner la prochaine chose qui rejoindrait le mont de signification.

« Les cheveux de Rikke-Ursula ! »

Je me suis tournée vers Rikke-Ursula qui, immédiatement, avait porté une main à ses nattes bleues et ouvrait maintenant la bouche dans une protestation qu'elle savait inutile.

« J'ai des ciseaux ! » a crié Hussein en riant bien fort. Il brandissait un couteau suisse.

« C'est moi qui coupe, a dit Elise.

– Non, moi, c'est mes ciseaux », a dit Hussein, et ils se sont mis d'accord pour couper chacun la moitié.

Bleu. Plus bleu. Encore plus bleu.

Rikke-Ursula est restée assise sans bouger et n'a pas dit un mot pendant qu'ils coupaient, mais les larmes roulaient sur ses joues et c'était comme si le bleu de ses cheveux se reflétait dans ses lèvres qu'elle mordait jusqu'au sang.

J'ai regardé ailleurs pour ne pas me mettre à pleurer moi aussi.

Couper les cheveux de Rikke-Ursula était pire que de couper ceux de Samson. Sans ses cheveux, Rikke-Ursula ne serait plus Rikke-Ursula aux six nattes bleues, et donc plus Rikke-Ursula du tout.

J'ai pensé que c'était peut-être justement pour ça que les six nattes bleues faisaient partie du mont de signification, mais je n'ai pas osé le dire tout haut. Ni même tout bas. Parce que Rikke-Ursula était mon amie, même si elle n'était plus la Rikke-Ursula aux six nattes bleues, ni quelqu'un de spécial, ni tout à fait elle-même.

D'abord Elise a coupé une natte. Puis Hussein une autre. Ils ont dû batailler dur car les ciseaux étaient émoussés et les cheveux de Rikke-Ursula épais. Ça leur a pris vingt bonnes minutes pour venir à bout des six. Et puis Rikke-Ursula a ressemblé elle aussi à quelqu'un qui aurait mal tourné et devrait être enfermé dans une institution.

Les nattes coupées ont été déposées en un joli tas au sommet du mont de signification.

Bleu. Plus bleu. Encore plus bleu.

Rikke-Ursula a fixé longuement ses nattes.

Il n'y avait plus de larmes sur ses joues. Au lieu de ça, ses yeux brillaient de colère. Elle s'est retournée lentement vers Hussein et a dit d'une voix douce, les dents légèrement serrées :

« Ton tapis de prière ! »

12

Hussein a fait des difficultés.

Hussein a fait tellement de difficultés que pour finir on a été obligés de lui taper dessus. Ou plutôt, Ole et le grand Hans ont dû lui taper dessus. Nous, on a regardé. Ça a duré un moment, mais à la fin Hussein était allongé le visage dans la sciure et Ole sur le dos, et il ne disait plus rien. Quand ils l'ont laissé se relever, il avait l'air d'avoir très peur, et tremblait presque. Mais ce n'était pas d'Ole ou du grand Hans qu'il avait peur.

Ce dont il avait peur, on l'a découvert seulement après qu'il eut apporté son tapis de prière en pleurant et ne soit pas revenu à l'école pendant une semaine. Quand il est finalement revenu, il était bleu, jaune, vert partout, et avait un bras cassé. Il n'était pas un bon musulman, avait dit son père, qui l'avait battu comme plâtre.

Ce n'était pas le pire.

Le pire c'était qu'il n'était pas un bon musulman.

Mauvais musulman ! Infidèle ! Moins que rien !

Quelque chose avait anéanti Hussein.

Il allait d'un pas traînant, la tête basse, et alors qu'il avait toujours été un peu trop rapide à distribuer les coups et les claques, il ne se défendait maintenant même plus si d'autres s'en prenaient à lui.

Il faut dire aussi que c'était un beau tapis. Les motifs rouges, bleus et gris s'y entrelaçaient, et il était si doux et si délicat que Cendrillon en était presque à quitter le cercueil du petit Emil pour lui préférer le tapis. Alors Jan-Johan l'a posé tout en haut du mont de signification, là où Cendrillon ne pouvait pas l'atteindre, et ça a porté ses fruits. La chienne est restée où elle était.

D'abord, Hussein n'a pas voulu dire ce que le prochain devait remettre. Il s'est contenté de secouer tristement la tête quand on a essayé d'insister.

Les cris de Pierre Anthon avaient recommencé, et il fallait que Hussein se décide. C'était déjà le mois d'octobre, on était loin d'avoir fini – il restait encore six personnes.

Hussein ne pouvant plus se dérober, il a fini par pointer du doigt le grand Hans et a dit calmement :

« Le vélo jaune. »

Ça ne valait pas grand-chose, même si le vélo était flambant neuf, de course, jaune fluo, et que le grand Hans était tellement triste qu'il a attendu deux jours entiers pour le déposer sur le mont de signification dans la scierie abandonnée. C'était quand même mieux que rien, et au moins, on pouvait passer au suivant.

Si on avait su que l'histoire du vélo mettrait le grand Hans dans une telle colère qu'il demanderait ensuite quelque chose d'épouvantable, l'un de nous aurait probablement prié Hussein de trouver autre chose. Mais on ne savait pas, et on a juste insisté pour qu'il apporte son vélo jaune fluo comme Hussein l'avait dit.

Sofie était l'une de ceux qui insistèrent le plus. Elle n'aurait pas dû.

13

J'ose à peine dire ce que Sofie devait donner. Seul un garçon pouvait inventer une chose pareille, et c'était tellement dégoûtant et répugnant qu'on a presque tous intercédé en sa faveur. Sofie, elle, n'a presque rien dit, seulement non et non et non, hoché et hoché la tête et tremblé aussi un peu.

Le grand Hans a été sans pitié.

Et on devait bien sûr lui accorder qu'on avait été inflexibles, nous, concernant son vélo jaune fluo.

Ce n'était pas pareil, on a dit.

« Comment pouvez-vous savoir que mon vélo jaune fluo ne signifie pas la même chose pour moi que son innocence pour Sofie ? »

On ne pouvait pas.

Donc, et malgré nos sentiments, il a été finalement convenu que le grand Hans l'aiderait à la perdre le soir suivant dans la scierie abandonnée. Quatre garçons resteraient pour aider si c'était nécessaire. Quant à nous, on serait renvoyées chez nous, de façon à ne pas chercher à venir à son secours.

Ça a été une affreuse journée d'école.

Sofie, pâle comme une morte, était assise sur sa chaise sans dire un mot, y compris quand des filles ont cherché à la consoler. On a fini par ne plus oser lui parler de peur de ce qui allait lui arriver, et c'était presque pire que lorsqu'on chahutait, parce que Eskildsen n'avait jamais eu un calme pareil dans notre classe.

Il était sur le point d'avoir des soupçons et a commencé à dire que notre classe se comportait de manière très bizarre depuis le début de l'année scolaire. Il avait raison, mais, par chance, il n'a pas fait le rapprochement avec la place vide de Pierre Anthon. S'il avait commencé à parler de lui, je ne crois pas qu'on aurait pu sauver la face.

Pendant qu'Eskildsen parlait et parlait de notre étrange comportement depuis le mois d'août, j'ai tourné la tête et regardé Sofie. Je ne crois pas que je l'aurais blâmée si elle avait cafté à cet instant précis. Mais elle ne l'a pas fait.

Elle était assise, complètement immobile, blanche comme le cercueil du petit Emil avait dû l'être lorsqu'il était neuf, et cependant sereine et impassible, telle que je m'imaginais une sainte allant à la mort.

J'ai pensé au commencement, et à comment Pierre Anthon continuait à crier après nous le matin et l'après-midi, quand on passait devant le 25 rue de Tæring. Ça n'était pas seulement nous qui devenions fous, c'était comme si lui aussi allait perdre la tête si on ne le faisait pas descendre bientôt.

« Les chimpanzés ont presque exactement le même cerveau et le même ADN que nous, avait-il hurlé la veille en se balançant dans les branches du prunier. Ça n'a vraiment rien de particulier d'être un humain. »

70

Et le matin même, il avait dit :

« Il y a six milliards d'hommes sur terre. C'est trop, mais en 2025 il y en aura huit milliards et demi. Ce qu'on peut faire de mieux pour l'avenir du monde, c'est mourir ! » Il avait dû lire tout ça dans les journaux. Je ne sais pas à quoi sert d'amasser toutes les connaissances que d'autres ont acquises. C'est à décourager ceux qui ne sont pas encore adultes et ont découvert quelque chose par eux-mêmes. Mais les adultes adorent accumuler le savoir – plus il y en a, mieux c'est – et peu importe si c'est le savoir des autres, quelque chose que l'on ne peut apprendre qu'en étudiant.

Sofie avait raison de serrer les dents. Quelque chose avait un sens malgré tout, même si ce quelque chose devait être perdu.

Je ne sais pas précisément ce qui s'est passé le soir où le grand Hans a aidé Sofie à livrer son innocence.

Le lendemain, il y avait seulement un tout petit peu de sang et quelque chose de visqueux sur un mouchoir à carreaux, posé tout en haut du mont de signification, et Sofie marchait bizarrement, comme si elle avait mal quand elle bougeait les jambes.

Ça n'en était pas moins Sofie qui avait un air fier et inaccessible, alors que le grand Hans courait dans tous les sens comme s'il essayait de lui être agréable.

« Il aimerait bien le refaire », a chuchoté Gerda à mon oreille, en étouffant un rire et en oubliant complètement qu'elle ne me parlait plus depuis l'histoire avec Oscarpetit.

Je n'ai pas répondu, mais plus tard j'ai essayé de tirer de Sofie ce qui s'était passé, et comment c'était.

Elle n'a pas voulu me raconter. Elle se promenait en faisant celle qui avait découvert un secret, il est vrai, tout à fait terrible, mais qui malgré tout lui avait donné la clé d'une chose de grande importance.

Grande importance ? Plus grande importance ? La plus grande importance ?

Il ne restait que trois personnes avant que l'on puisse montrer le mont de signification à Pierre Anthon, s'il promettait de ne plus jamais s'installer dans le prunier et de ne plus nous crier dessus : le pieux Kaj, la belle Rosa et Jan-Johan.

Sofie choisit le pieux Kaj. Il devait apporter Jésus sur sa croix.

14

Jésus sur sa croix n'était pas seulement le Dieu tout-puissant du pieux Kaj, il était aussi ce qu'il y avait de plus sacré dans l'église de Tæring, et l'église de Tæring était déjà ce qu'il y avait de plus sacré dans la ville de Tæring. Jésus sur sa croix était donc le saint des saints de ce qu'on pouvait imaginer – si bien sûr on croyait à ce genre de chose. Et peut-être l'était-il, quoi qu'il en soit.

Jésus sur sa croix était une statue suspendue sur le mur juste derrière l'autel, qui effrayait les petits enfants et émouvait les vieux, avec la tête qui pendait, la couronne d'épines et les gouttes de sang qui devenaient de nobles larmes le long du saint visage tourmenté de douleur et de divinité, les clous des mains, des pieds et de la croix, faits de bois de rose et de quelque chose de précieux, d'après ce que disait le pasteur. Même moi, qui soutenais que Jésus et Notre-Seigneur n'existaient pas et n'avaient donc aucune signification, je savais que Jésus sur sa croix en bois de rose avait une grande signification. Surtout pour le pieux Kaj.

Il allait avoir besoin d'aide.

Aide-toi. Aide-nous. Le ciel c'est nous.

Une fois de plus, j'ai apporté les cartes à la scierie, le jeu avec les clowns au dos. Et une fois de plus, on a tiré au sort.

Ce sont Rikke-Ursula, Jan-Johan, Richard et Maiken qui ont tiré les cartes les plus fortes et ont donc dû aider le pieux Kaj, bien que celui-ci maintienne que c'était une chose qu'on ne pouvait et qu'on ne devait pas faire.

Il a pourtant fléchi un peu quand Jan-Johan a dit que puisqu'il connaissait le code du cadenas, il pourrait venir prier son Jésus sur sa croix dans la scierie quand il voudrait. Et aussi que, bien sûr, on rendrait Jésus à l'église dès qu'on en aurait fini avec lui.

Je n'y étais pas moi-même, mais ce que Rikke-Ursula, sans ses six nattes bleues, m'a raconté à voix basse le lundi matin en cours de musique, tandis que les autres écoutaient Beethoven et que ça en couvrait presque sa voix, c'est que ça ne s'était pas passé aussi bien que prévu.

Il est vrai que le pieux Kaj, comme convenu, s'était caché dans l'église après le dernier office du dimanche. Une fois le bâtiment redevenu silencieux et fermé à clé, et tout le monde parti, Rikke-Ursula, Jan-Johan, Richard et Maiken s'étaient présentés à la porte, avaient frappé trois courts, trois longs, et le pieux Kaj leur avait ouvert.

Mais c'était là que les choses avaient commencé à se gâter.

D'abord, le pieux Kaj s'était mis à pleurer.

Quand les autres avaient escaladé la balustrade pour passer derrière l'autel, il s'était mis à sangloter et à les supplier de telle façon qu'ils avaient été obligés de renoncer à son aide. Maiken était restée avec lui pour qu'il ne file pas, mais ça n'avait servi à rien qu'elle lui répète inlassablement qu'elle n'avait encore jamais vu Jésus ou Notre-Seigneur au télescope, bien qu'elle ait beaucoup cherché, et que c'était la même chose pour tous les grands astrophysiciens de ce monde. Le pieux Kaj se bouchait tout simplement les oreilles et hurlait tellement fort pour ne pas entendre ce qu'elle disait, qu'à la fin elle s'était arrêtée. Sans doute aussi parce qu'elle avait peur que les cris puissent être perçus à l'extérieur de l'église.

Pendant ce temps, Jan-Johan et Richard avaient essayé de détacher Jésus sur sa croix de rose.

Mais Jésus était bien accroché, et ils avaient beau s'échiner sur lui, il ne lâchait pas. Alors Rikke-Ursula s'était approchée de la statue et au moment où elle avait posé la main sur son pied avec le clou et le sang, c'était comme si elle s'était brûlée.

Rikke-Ursula devait reconnaître que, même si elle ne croyait pas à ces bêtises, elle avait eu vraiment très peur. C'était si étrangement vide et immense dans l'église, et tout d'un coup c'était comme si la statue de Jésus était devenue vivante. Tout doucement, sans qu'ils le touchent, Jésus avait glissé de lui-même au bas du mur dans un craquement, avait heurté le sol et s'était cassé précisément la jambe que Rikke-Ursula avait touchée.

C'était une des choses les plus angoissantes qu'elle ait jamais vécues.

Ils avaient hésité à partir en courant, mais maintenant qu'ils étaient allés aussi loin, ils ne pouvaient plus laisser Jésus là, à traîner par terre. Alors, en dépit de son poids, ils étaient parvenus, en unissant leurs forces, à le soulever et à le faire glisser jusqu'à l'autel par-dessus lequel ils l'avaient fait basculer. C'était presque surnaturel tant Jésus était lourd, et tant pis si le pieux Kaj ne voulait pas, il avait été obligé d'aider. Ils étaient maintenant cinq à le porter, mais ils pouvaient pourtant à peine le traîner jusqu'au chemin et jusqu'à la remorque à journaux qui s'y trouvait.

Il était sept heures et demie et il faisait nuit quand ils avaient traversé la ville avec Jésus sur sa croix en bois de rose dans la remorque du pieux Kaj.

Ils avaient dû s'arrêter à plusieurs reprises et se cacher derrière des arbres et des haies pour ne pas être vus des passants.

Le pieux Kaj avait pleuré tout le long du chemin, continuant à dire que ça ne se faisait pas. Et Rikke-Ursula, que sa main brûlait toujours, était prête à lui donner raison. Maiken, elle, répétait encore et encore qu'elle n'avait jamais vu Jésus ou Notre-Seigneur au télescope, comme si, en réalité, elle tentait de s'en convaincre elle-même. Et même Jan-Johan, qui normalement n'avait peur de rien, était nerveux, brusque, et trouvait le chemin du retour interminable.

Seul Richard semblait indifférent, du moins jusqu'à leur arrivée à la scierie et jusqu'à ce que le code du cadenas ne marche pas. Là, il était devenu furieux, avait crié, hurlé, donné des coups de pied dans la porte puis dans la remorque, et Jésus sur sa croix de rose était tombé et s'était cassé l'autre jambe.

Le pieux Kaj était devenu à son tour complètement hystérique et avait dit que c'était un blasphème de casser la jambe de Jésus, que maintenant ils ne pourraient plus rendre Jésus sur sa croix de rose à l'église après avoir convaincu Pierre Anthon, et que lui ne pourrait plus jamais s'y montrer.

Alors Jan-Johan était intervenu en disant au pieux Kaj de la fermer, parce que, est-ce que ce n'était pas précisément Jésus qui avait dit que tous les pécheurs seraient absous s'ils croyaient en lui ? Et effectivement, le pieux Kaj l'avait fermée et souriait presque de nouveau, et ils avaient fini par ouvrir le cadenas – ils s'étaient juste trompés de numéros.

Mais un nouveau problème s'était posé.

Quand ils étaient entrés dans la scierie, traînant Jésus sur sa croix de rose, c'était la Cendrillon de Sørensen qui s'était déchaînée.

La chienne. La vache ! Vacherie de chienne !

Cendrillon avait aboyé et aboyé et les avait mordus à chacune de leurs tentatives pour déposer Jésus sur le mont de signification. Pour finir, ils avaient dû rentrer chez eux en laissant Jésus couché en plein milieu de la sciure moisie.

Jésus et la croix de rose dans la sciure, ça, c'était vraiment un problème.

Le pieux Kaj n'était pas le seul à penser que ce n'était pas convenable. Cendrillon, en revanche, se moquait de ce qui était convenable ou pas, et refusait obstinément de laisser Jésus s'approcher du mont de signification. Quoi qu'on fasse.

Pas une gâterie, un appât qui la tentât, ou plutôt pas une fois où elle n'essayât pas de nous mordre, et aucun d'entre nous n'avait envie de tâter de ses mâchoires.

Gâterie. Vacherie de gâterie. Vacherie de chienne.

Au bout de plusieurs heures, nous étions prêts à abandonner et à rentrer chez nous. D'ailleurs, c'était bientôt l'heure de manger. Et puis j'ai pensé au soir où on était allés chercher le cercueil du petit Emil Jensen.

« Elle croit probablement que c'est Jésus qui lui a pris Sørensen », ai-je dit.

Ole a rigolé.

« Et en plus c'est le cas. »

J'ai insisté :

« Non mais sérieusement.

– Oui, très sérieusement », a-t-il conclu en rigolant et je me suis énervée.

Elise est intervenue pour dire que j'avais raison et qu'on ne réussirait jamais à mettre Jésus et sa croix de rose sur le mont de signification tant que Cendrillon le garderait.

On y a réfléchi longtemps, parce qu'il nous semblait que Jésus sur sa croix n'aurait pas la même signification s'il ne reposait pas sur le tas.

« On n'a qu'à le débiter en morceaux plus petits, a suggéré le grand Hans.

– Non ! » l'a coupé le pieux Kaj.

Et même si l'avis du pieux Kaj nous était bien égal dans ce cas précis, on ne trouvait pas non plus que c'était une bonne idée. Jésus aurait perdu de sa signification si on l'avait débité en petits morceaux.

« Alors, peignons-le en noir pour que Cendrillon ne le reconnaisse pas, a proposé Sebastian.

– Non, ça ne sera plus la même chose, a protesté Jan-Johan, et là-dessus aussi on était tous d'accord : un Jésus noir, ce ne serait plus la même chose.

– Et si vous mettiez Jésus sur le tas pendant que je sors promener Cendrillon ? » a proposé à son tour Elise, et personne n'a rien eu à lui objecter.

Le soir même, après le dîner, on est revenus à la scierie.

Elise a mis sa laisse à Cendrillon, et dès qu'elles ont disparu par la porte, Jan-Johan et le grand Hans ont tiré Jésus jusqu'au mont de signification. Il était trop lourd pour être posé dessus, alors à la place, ils l'ont appuyé sur le tas. Le Danebrog flottait, un gant de boxe a glissé et disparu, le bocal du serpent dans le formol s'est balancé dangereusement, et Oscarpetit a poussé un cri aigu.

Jésus sur sa croix de rose faisait partie du mont de signification !

Par égard pour les sentiments de Cendrillon, il avait été placé aussi loin que possible du cercueil du petit Emil, complètement de l'autre côté du tas. Mais vu ce que Cendrillon allait faire ensuite, je ne crois pas que la place où Jésus se trouvait ait fait une quelconque différence.

Elise a frappé trois courts et trois longs à la porte de la scierie.

On s'est tous éloignés du tas. Jan-Johan a ouvert la porte, et Elise est entrée avec Cendrillon qui la suivait péniblement. La chienne soufflait et gémissait comme une chaudière à bout de souffle et semblait devoir s'écrouler à tout instant. Mais sitôt sa laisse retirée elle a levé la tête, fureté comme un jeune chien et trotté, légère et élégante, la queue en l'air, vers le mont de signification. Là, elle a flairé un instant Jésus sur sa croix de rose, puis, se plaçant face à la croix, lui a pissé sur le ventre.

Pisser. Pisse. Non, non, non !

Gerda a pouffé. Nous, on n'a pas dit un mot.

Les conséquences de la conduite de Cendrillon étaient tout à fait démesurées. On ne pourrait jamais restituer une statue de Jésus pleine de pisse à l'église. L'un après l'autre, pourtant, on a commencé à rire. C'était trop comique toute cette sainteté et l'eau bénite de Cendrillon qui coulait le long des moignons de jambes d'où elle gouttait dans la sciure. Oh, et puis Jésus n'était déjà pas très en forme avec les jambes cassées, alors !

On a ri et ri encore, l'ambiance est devenue vraiment bonne, et finalement Sofie est allée chercher son radio-cassette pour qu'on écoute de la musique. On a chanté et braillé et on s'est bien amusés, jusqu'à ce qu'on s'aperçoive qu'il était neuf heures passées.

On a coupé la musique, et on s'est dispersés rapidement. Quand j'y pense, si un des adultes était sorti à notre recherche et avait entendu le bruit en provenance de la scierie abandonnée ?

15

On n'attendait pas grand-chose du pieux Kaj, mais cette fois il nous a surpris : il a réclamé la tête de Cendrillon.

C'était quelque chose de bizarre.

Surtout parce que Cendrillon n'appartenait à personne.

En fait, c'était peut-être pour Elise qu'elle signifiait le plus, mais Elise avait déjà donné le cercueil de son petit frère. Sinon, il ne restait plus que la belle Rosa et Jan-Johan, et pourquoi l'un d'eux aurait-il dû apporter la tête de Cendrillon plutôt que l'un d'entre nous ?

Le pieux Kaj insistait.

« Arrête, Kaj, a dit Ole.

– La tête de Cendrillon, a exigé le pieux Kaj.

– Allez, sois sérieux, Kaj, a dit Elise.

– La tête de Cendrillon, a exigé le pieux Kaj.

– Allez, arrête de déconner, Kaj, a dit Maiken.

– La tête de Cendrillon ! » a exigé le pieux Kaj, et il a persisté, quoi qu'on puisse dire.

Au fond, on savait tous bien pourquoi.

Depuis que Jésus avait été traîné jusqu'au mont de signification, cela faisait maintenant cinq jours, Cendrillon avait utilisé le bois de rose comme ses toilettes personnelles, et ce dans tous les cas. Jésus sur sa croix avait déjà perdu beaucoup de sa sainteté avec ses jambes cassées, mais avec la contribution régulière de Cendrillon, il n'y aurait bientôt plus grand-chose à en espérer. Enfin, tout de même !

Finalement, on a dit au pieux Kaj qu'il devait choisir quelque chose qui ait une véritable signification soit pour la belle Rosa soit pour Jan-Johan.

Il a juste dit : « OK, alors ça doit être la belle Rosa qui coupe la gorge de Cendrillon. »

Là, il nous a eus. La belle Rosa ne supportait pas la vue du sang et pour cette raison, la tête de Cendrillon avait pour elle une signification particulière. Il n'y avait plus rien à ajouter.

Cette fois, il y en avait deux qui pleuraient.

La belle Rosa pleurait, demandait grâce et disait que ça, elle ne pouvait pas, qu'elle s'évanouirait au milieu et ferait peut-être une crise d'épilepsie, qu'elle finirait aux urgences et ne redeviendrait plus jamais normale. Elise pleurait comme jamais elle n'avait pleuré sur le cercueil de son petit frère.

On ne s'est occupés ni de l'une, ni de l'autre.

D'abord, la belle Rosa n'avait qu'à faire un effort. La tête de Cendrillon représentait un sacrifice substantiellement moindre que ce que nombre d'entre nous avaient dû faire. Ensuite, on avait tous l'impression qu'Elise s'en était tirée trop facilement, et qu'en réalité, elle était contente que le cercueil de son frère ait été exhumé. Le pieux Kaj avait fait d'une pierre deux coups.

Le père de Jan-Johan était boucher et tenait boutique dans la maison où la famille logeait. Après quelques tentatives infructueuses, Jan-Johan a réussi, tôt un matin, à subtiliser un long couteau de boucher récemment aiguisé qu'il a apporté à la scierie et qu'il a planté dans l'un des poteaux, où il étincelait en attendant que la belle Rosa prenne sur elle. Avant même qu'on s'en aperçoive, c'était fait.

Quand on est arrivés à la scierie un après-midi d'automne froid et orageux, c'en était fini de Cendrillon, sa tête était posée en haut du tas et nous fixait d'un air fâché, tandis que son corps était toujours allongé sur le cercueil du petit Emil, qui maintenant était plus rouge que blanc craquelé.

Blanc. Rose. Rouge sang.

La belle Rosa avait eu l'air étrangement indifférent toute la journée à l'école. Plus tard, elle a maintenu qu'elle avait été sur le point de s'évanouir, et que ç'avait été plus qu'abominable, et qu'elle avait éteint la lumière dans la scierie pour ne pas voir le sang.

L'histoire de la lumière n'était pas une mauvaise idée, parce que lorsque la belle Rosa a vu le cercueil avec tout le sang et le corps de Cendrillon sans tête, elle s'est écroulée de tout son long sans prévenir. Le grand Hans et Ole l'ont portée à l'autre bout de la scierie et ont installé des planches pour boucher la vue sur le cercueil et Cendrillon. Ils n'ont pas osé l'allonger dehors, au cas où quelqu'un serait passé par là.

Jan-Johan a regardé le couteau à nouveau planté dans le poteau, désormais teinté de sang séché.

« Qui aurait cru qu'un boucher se cachait en la belle Rosa ! » s'est-il écrié en riant bien fort.

Il n'aurait peut-être pas ri autant s'il avait su de quoi d'autre la belle Rosa était capable.

16

C'était louche.

Pas tant le fait que la belle Rosa ait pu couper la gorge de Cendrillon sans broncher et ensuite s'écrouler à la vue du sang sur le cercueil, même si c'était en soi assez étrange.

Non, ce qu'il y avait de louche, on l'a senti quand la belle Rosa a réclamé l'index droit de Jan-Johan.

Ça s'est passé un mardi après-midi, peu de temps après notre arrivée à la scierie, trempés par une pluie drue et incessante qui s'écoulait aussi par les trous dans le toit et formait dans la sciure des flaques dans lesquelles nous étions trop jeunes pour ne pas sauter.

Rikke-Ursula a dit qu'on ne pouvait pas demander une chose pareille et surtout pas à Jan-Johan qui jouait de la guitare et chantait des chansons des Beatles presque comme les vrais, ce qu'il ne pourrait pas faire sans ce doigt, et c'était pourquoi la belle Rosa ne pouvait pas demander ça.

« Si, a dit la belle Rosa, sans expliquer pourquoi.

– Non, a dit Rikke-Ursula, et on l'a appuyée ; il fallait bien poser des limites quelque part.

– Si, a dit la belle Rosa.

– Non », a-t-on répété.

Et après avoir répété ça un nombre de fois suffisant, c'était comme si la belle Rosa n'avait plus de forces et notre non s'est heurté à un lourd silence qui nous a fait croire qu'on avait gagné.

Ça n'a duré que quelques secondes, jusqu'à ce que Sofie s'en mêle :

« Quoi ? Alors comme ça, l'index droit de Jan-Johan n'a pas de signification ? »

On ne pouvait pas dire non, mais on ne pouvait quand même pas demander le doigt de quelqu'un. Sofie persistait et ne comprenait pas qu'on puisse en discuter.

« Tous les autres ont eu ce qu'ils voulaient. Et si la belle Rosa veut l'index de Jan-Johan, elle doit avoir l'index de Jan-Johan. »

Pour finir on a dit OK, car de toute façon, jamais personne ne pourrait couper le doigt de Jan-Johan.

« Je le ferai », a dit Sofie abruptement.

On l'a tous fixée, silencieux.

Il y avait quelque chose de froid en elle depuis l'histoire de l'innocence.

Froid. Plus froid. Gel, neige, glace.

Tout d'un coup, j'ai réalisé que Jan-Johan était à la scierie ce soir-là et je n'ai pas voulu imaginer ce qu'il avait fait avec ce doigt, mais je savais désormais qui avait tranché la tête de la pauvre Cendrillon.

Sofie était une rusée.

Je n'ai dit à personne ce que je pensais. D'abord parce que je n'étais pas sûre que l'histoire du doigt ne valait pas ce que Sofie avait dû livrer. Ensuite parce que je ne me sentais pas rassurée à l'idée de ce que Sofie pourrait inventer d'autre.

On était plusieurs à se réjouir du fait que le mont de signification soit bientôt fini.

Jan-Johan s'en fichait. Pour sa part, ça pouvait bien être le début ou la fin du tas, il ne voulait pas perdre son index.

S'il n'avait pas été le dernier, on l'aurait peut-être laissé filer. Qui sait ce qui se serait passé ensuite ?

Et pourtant, ce n'est pas tout à fait vrai. La vérité, c'est que si Jan-Johan n'avait pas été le chef de classe, qui commandait tout, jouait de la guitare et chantait des chansons des Beatles quand il en avait envie, on l'aurait laissé filer. Mais il était tout ça, il n'y avait pas à tortiller.

Ça devait avoir lieu le samedi après-midi.

D'abord Sofie devait couper le doigt, ensuite on mettrait un pansement dessus et le pieux Kaj devait conduire Jan-Johan chez ses parents dans sa remorque, pour que ceux-ci puissent l'emmener aux urgences et qu'il soit correctement soigné.

Dimanche, on irait chercher Pierre Anthon.

17

On a consacré notre vendredi après-midi à mettre de l'ordre dans la scierie.

C'était le 14 décembre. Il ne restait que quelques jours avant Noël, mais on n'y pensait pas. Il y avait des choses plus importantes.

On avait envahi la scierie depuis près de quatre mois, et ça se voyait. La sciure était mélangée à de la terre, des papiers de bonbons et autres saletés et ne couvrait plus uniformément le ciment crevassé, formant des monticules entre les morceaux de bois qu'on avait jetés un peu partout pour s'y réfugier quand on jouait à chat perché. Les araignées ne semblaient pas avoir réduit leur activité, malgré notre présence. Au contraire, c'était comme si elles avaient augmenté leur capacité de capture, et les toiles étaient pleines dans tous les coins et recoins. Les fenêtres, celles qui restaient entières, étaient, si possible, encore plus sales qu'avant notre arrivée.

Après quelques disputes sur qui devait faire quoi, on s'est enfin mis au travail.

Frederik et le pieux Kaj ont été chargés de ramasser les papiers de bonbons. Sebastian, Ole et le grand Hans ont porté les bûches derrière, là où tout le reste du bois se trouvait. Maiken, Elise et Gerda ont grimpé un peu partout pour enlever les toiles d'araignée. Dame Werner, Laura, Anna-Li et Henrik-la-lèche ont nettoyé de leur mieux les fenêtres, et Dennis a ôté les restes de carreaux cassés pour qu'il n'y ait plus de perspectives gâtées. Rikke-Ursula et moi on s'est relayées pour ratisser la sciure en une couche uniforme à l'aide d'un râteau qu'on avait emprunté à Sofie.

La scierie abandonnée est devenue très belle.

Il y avait pourtant une chose à laquelle on ne pouvait rien : le mont de signification avait commencé à sentir moins bon.

Moins bon. Mauvais. Extrêmement mauvais.

C'était d'une part à cause des legs de Cendrillon sur Jésus et la croix de rose, d'autre part à cause des mouches qui tourbillonnaient, autant autour de la tête que du corps de Cendrillon. Des effluves très désagréables s'élevaient aussi du cercueil du petit Emil.

Ça m'a fait penser à quelque chose que Pierre Anthon avait crié quelques jours auparavant :

« Une mauvaise odeur est aussi bonne qu'une bonne odeur ! »

Il n'avait pas eu de prune à lancer et à la place, il avait frappé de la paume la branche sur laquelle il était assis, comme pour accompagner ses mots.

« C'est la pourriture qui pue. Mais quand une chose pourrit, elle est en train de devenir une partie d'une chose nouvelle. Et cette chose nouvelle qui se crée sent bon. Qu'une chose sente bon ou mauvais ne fait donc aucune différence, c'est seulement une partie de la ronde éternelle de la vie. »

Je ne lui avais pas répondu, Rikke-Ursula et Maiken, qui étaient avec moi, non plus. On avait juste baissé la tête et on s'était dépêchées d'aller au collège, sans commenter ce que Pierre Anthon avait dit.

Maintenant je me tenais là dans la scierie en me pinçant le nez, et j'ai su brusquement que Pierre Anthon avait raison : quelque chose qui sentait bon devenait vite quelque chose qui sentait mauvais. Et ce qui sentait mauvais était en train de devenir une chose qui allait sentir bon. Mais je savais aussi que je préférais ce qui sentait bon à ce qui sentait mauvais. Ce que je ne savais pas, c'était comment je pourrais jamais l'expliquer à Pierre Anthon.

Il était temps de donner une fin à cette histoire de signification.

Temps. Grand temps. Dernière minute !

Ça n'était déjà plus aussi drôle que ça l'avait été.

En tout cas pas pour Jan-Johan.

Il se lamentait déjà vendredi, tandis qu'on rangeait, et ça n'a servi à rien qu'Ole lui dise de se taire.

« Je vais vous dénoncer », a répondu Jan-Johan.

Silence.

« Tu ne vas pas nous dénoncer, a rétorqué Sofie froidement, mais ça ne l'a pas découragé.

– Je vais vous dénoncer, a-t-il répété. Je vais vous dénoncer ! Je vais vous dénoncer ! Je vais vous dénoncer ! »

On aurait dit une rengaine sans musique.

Jan-Johan voulait cafter et dire que l'histoire qu'on avait inventée, et qu'il devait raconter à ses parents, était un mensonge. Qu'il n'était pas vrai qu'il avait trouvé le couteau de son père, et qu'il s'était coupé le doigt en essayant de le retirer du poteau dans lequel il était planté.

C'était insupportable d'entendre ces lamentations, alors Ole a crié à Jan-Johan de fermer sa gueule, sans quoi il se prendrait quelques claques. Rien n'y a fait. Alors Ole a été obligé de donner des claques à Jan-Johan, mais ça n'a eu pour résultat que de transformer les lamentations en hauts cris, jusqu'à ce que Richard et Dennis attrapent Ole et disent que maintenant ça suffisait. Jan-Johan a été renvoyé chez lui avec la consigne de revenir le lendemain à une heure.

« Si tu ne viens pas, tu prendras d'autres coups ! lui a crié Ole.

– Non, a dit Sofie en hochant la tête. Si tu ne viens pas, on coupe la main entière. »

On s'est dévisagés. Personne ne doutait du fait que Sofie pensait ce qu'elle disait. Jan-Johan non plus. Il a baissé la tête et couru aussi vite qu'il a pu le long du chemin et loin de la scierie.

Samedi, une heure moins dix, Jan-Johan a réapparu. Cette fois-ci il ne courait pas, mais marchait lentement, presque chancelant, en direction de la scierie. Je le sais parce que Ole et moi attendions au bout du chemin en piétinant dans un vent glacial, les mains bien enfoncées dans les poches. Prêts à aller le chercher s'il ne venait pas de lui-même.

Jan-Johan a commencé à se lamenter dès qu'il nous a vus. Je me suis souvenue des dents serrées de Sofie lorsqu'il avait s'agit de son innocence et j'ai dit que Jan-Johan devait la fermer et se tenir. Quelle mauviette !

Mauviette ! Pétochard ! Janne-Johanne !

90

Ça n'y a rien fait.

Et les lamentations de Jan-Johan n'ont fait qu'empirer quand on est entrés dans la scierie et qu'il a aperçu le couteau planté dans la planche sur les tréteaux, là où le doigt devait être *guillotiné**.

C'était Dame Werner qui nous avait fourni ce mot merveilleux pour décrire ce qui devait se passer. Jan-Johan s'en fichait. Il hurlait d'une façon ridicule, et les sons qui sortaient de sa bouche étaient impossibles à comprendre. On a pourtant saisi une chose :

« Maman, maman, hurlait-il. Man-man ! » Jan-Johan s'est jeté dans la sciure et a roulé les mains entre les jambes, et ce n'était qu'un début.

C'était pitoyable.

Mauviette ! Pétochard ! Janne-Johanne !

Oui, c'était pire que pitoyable, parce que Jan-Johan était le chef de classe, savait jouer de la guitare et chanter des chansons des Beatles, mais subitement il était devenu la masse hurlante d'un nourrisson à qui on avait juste envie de donner un coup de pied. Jan-Johan était devenu un autre, et on n'aimait pas cet autre. J'ai pensé que c'était peut-être lui que Sofie avait vu le soir de la perte de l'innocence, si ce n'est que cette fois-là c'était lui qui avait le dessus, et l'idée qu'une seule et même personne puisse être si différente m'a subitement donné des frissons.

Puissant et pitoyable. Distingué et vulgaire. Courageux et lâche.

C'était difficile à comprendre.

* En français dans le texte.

91

« Il est une heure », a dit Sofie en interrompant le fil de mes pensées, ce qui était plutôt bien, car j'avais du mal à les suivre.

Jan-Johan a poussé un long hurlement plaintif et a roulé dans la sciure, sans considération pour notre beau ratissage.

« Elise, Rosa et Frederik, sortez et faites en sorte que personne ne puisse s'approcher assez près pour nous entendre », a continué Sofie, impassible.

La porte s'est refermée sur eux et Sofie s'est ensuite tournée vers Ole et le grand Hans.

« À votre tour maintenant. »

Jan-Johan s'est levé d'un bond et s'est cramponné des deux bras à un poteau, Ole et le grand Hans devant lutter longtemps avant de réussir à l'en détacher. Richard et le pieux Kaj ont même dû aider à le porter, tellement il se tordait.

« Berk, il pisse ! » s'est écrié Richard, et c'était vrai.

Gerda a pouffé. Nous, on regardait avec dégoût l'inégale traînée sombre qui se formait dans la sciure.

Et même quand, finalement, Jan-Johan a été allongé à côté du billot, on ne pouvait le maîtriser. Le grand Hans a dû s'asseoir sur son ventre. Ça a rendu les choses plus faciles, mais ses poings étaient toujours serrés, et il refusait purement et simplement d'ouvrir la main, malgré les arguments très directs que lui envoyaient Ole et le grand Hans.

« Si tu ne veux pas poser ton doigt sur le billot, je devrai couper le doigt là où il se trouve », a dit Sofie calmement.

Son calme avait quelque chose d'inquiétant. Et pourtant, c'était comme s'il nous gagnait tous. Ce qui allait avoir lieu était un sacrifice indispensable dans le combat pour la signification. Tous devaient y passer. Chacun avait le sien. Maintenant, c'était au tour de Jan-Johan.

Ce n'était pas si terrible.

Quand Jan-Johan a hurlé encore une fois, Hussein a levé son bras qui venait de sortir du plâtre et dit :

« Il ne faut pas avoir peur. C'est seulement un doigt.

– Oui, on n'en meurt pas, a dit le grand Hans depuis le ventre de Jan-Johan, en tirant sa main droite vers le haut.

– Et si ça ne faisait pas mal, a ajouté Anna-Li doucement, ça n'aurait pas de signification. »

Le couteau s'est enfoncé en craquant dans le doigt de Jan-Johan avec une rapidité qui m'a fait haleter. J'ai regardé là-bas les sandales vertes et j'ai inspiré profondément. Pendant un court instant tout a été calme. Puis Jan-Johan a hurlé comme je n'avais jamais entendu quelqu'un hurler. Je me suis bouché les oreilles, et même comme ça, c'était insupportable.

Quatre fois, Sofie a dû enfoncer le couteau. C'était difficile de viser juste alors que Jan-Johan se tordait. La troisième et la quatrième fois, j'ai regardé. C'était quand même intéressant de voir comment le doigt se transformait en filaments et en fragments osseux. Et puis tout a été du sang, et il valait mieux que la belle Rosa ait été envoyée dehors, parce qu'il y en avait beaucoup.

Ça avait duré une éternité et ça a été fini en un instant.

Sofie s'est levée lentement, a nettoyé le couteau dans une poignée de sciure, après quoi elle l'a remis à sa place dans le poteau. Elle a essuyé ses mains sur son jean.

93

Elle a dit « Et voilà », et est retournée chercher le doigt.

Dame Werner et Maiken ont posé un pansement rudimentaire sur la main de Jan-Johan, le pieux Kaj a avancé la remorque à journaux, et quand les jambes de Jan-Johan se sont dérobées sous lui, le grand Hans l'y a porté.

Jan-Johan sanglotait presque à n'en plus pouvoir respirer, et il y avait une grande tache brune malodorante au fond de son pantalon.

« Rappelle-toi que c'est toi le prochain qui commande ! » a lancé Ole pour le consoler un peu, même s'il n'y avait pas de prochain.

Sauf s'il pensait à Pierre Anthon.

Le pieux Kaj a mis le vélo en route, et la remorque a suivi joyeusement, emportant un Jan-Johan gémissant.

18

Je ne sais pas ce qui se serait passé si Jan-Johan n'avait pas cafardé. Ce qui s'est passé, en tout cas, c'est que la police s'est présentée à la scierie avant qu'on ait eu une chance d'y amener Pierre Anthon.

On y était encore quand ils sont arrivés. Tous.

Ce qu'ils ont écrit après à nos parents, c'est qu'ils avaient trouvé, outre vingt et un élèves de quatrième apparemment indemnes, un tas malodorant pour le moins singulier et macabre, comprenant entre autres une tête de chien coupée, un cercueil d'enfant avec contenu éventuel (par égard pour les pièces à conviction on n'avait pas voulu ouvrir le cercueil), un index ensanglanté, une statue de Jésus vandalisée, le Danebrog, un serpent dans le formol, un tapis de prière, une paire de béquilles, un téléscope, un vélo jaune fluo, etc.

C'est le etc. qui nous a offensés. Comme s'ils pouvaient réduire la signification à un etc.

Et cœtera. Et plus. Et beaucoup d'autres choses qui n'avaient pas besoin d'être appelées par leur nom, ici et maintenant en tout cas.

On n'a pas eu la possibilité de protester. Parce que bonjour le cirque qu'il y a eu.

Qu'il ne reste que huit jours avant Noël, personne ne voyait de raison d'en tenir compte.

La plupart d'entre nous ont été privés de sorties, quelques-uns ont reçu des coups, et Hussein est retourné à l'hôpital où se trouvait déjà Jan-Johan. Au moins, ils ont eu de la chance, ils ont eu le droit de partager la même chambre et pouvaient discuter dans leur lit.

Tout ce que je pouvais faire, moi, allongée sur mon lit, c'était regarder le papier peint rayé, depuis le moment où la police m'a raccompagnée chez moi et a donné la lettre à ma mère samedi après-midi, jusqu'à lundi matin, où j'ai été autorisée à aller à l'école avec l'ordre de rentrer directement à la maison. Et ce n'était qu'un début.

À l'école, on a pris encore un savon.

Mais on a été intraitables et on n'a pas lâché. C'est-à-dire, presque pas : il y avait tout de même ceux qui pleuraient et demandaient pardon. Henrik-le-lécheur sanglotait et disait que tout ça, c'était de notre faute, et qu'il ne voulait pas en être. Et surtout pas pour le serpent dans le formol.

« Grâce ! Grâce ! criait le pieux Kaj pendant ce temps, au point que l'on se sentait devenir misérables à l'écouter et qu'Ole l'a finalement pincé très fort à la cuisse.

– Je ne le ferai plus jamais », pleurnichait aussi Frederik, en se tenant tellement droit sur sa chaise qu'il avait l'air d'être au garde-à-vous. En tout cas jusqu'à ce que Maiken lui presse la pointe d'un compas sur les côtes.

Le regard méprisant de Sofie passait d'un déserteur à l'autre. Elle-même était tout à fait calme. Et quand le pro-

fesseur Eskildsen, après nous avoir sermonnés sans interruption pendant trente-huit minutes, a martelé le bureau
en criant « pour-quoi-faire-bon-sang », c'est elle qui a pris
la parole.

« La signification. » Elle hochait la tête comme si elle
se parlait à elle-même. « Vous ne nous l'avez pas apprise.
Alors on l'a trouvée tout seuls. »

Sofie a été envoyée immédiatement chez le proviseur.

Il paraît que chez le proviseur, elle aurait juste répété
les mêmes mots, bien qu'il lui ait donné une colle, et qu'il
l'ait tellement engueulée que ça s'entendait jusque dans la
cour.

Quand Sofie est revenue dans la classe, il y avait une
drôle de lueur dans ses yeux. Je l'ai observée longtemps.
À part une légère rougeur en haut des joues, à la racine
des cheveux, son visage était pâle et impassible, avec
peut-être un soupçon de froideur, mais aussi un soupçon
de quelque chose qui brûlait.

Sans savoir précisément quoi, je savais que ce qui
brûlait avait à voir avec la signification. J'ai décidé de ne
pas l'oublier, quoi qu'il arrive, même si ce qui brûlait
n'était pas une chose qui pouvait être mise sur le tas, et
encore moins une chose que je serais capable d'expliquer
autrement à Pierre Anthon.

À la récréation, on piétinait, tout en discutant de ce
qu'on devait faire.

Il faisait froid, les gants et les bonnets ne nous
tenaient pas chaud longtemps, et l'asphalte de la cour
était recouvert d'une fine couche de neige fondue qui
mouillait nos bottes et les rendait désagréables à porter.
Mais on n'avait pas le choix. Cela faisait partie de notre

punition de ne plus pouvoir passer les récréations à l'intérieur. Certains étaient plutôt d'avis qu'on raconte toute l'histoire, qu'on démontre que tout était de la faute de Pierre Anthon, et qu'ensuite on restitue ce qu'on avait « emprunté ».

« Comme ça, j'aurai peut-être de nouveau le droit de hisser le drapeau, a dit Frederik, plein d'espoir.

– Et je pourrai aller à l'église, a glissé le pieux Kaj.

– C'est peut-être ce qu'on a de mieux à faire, finalement. » Sébastian avait l'air de se réjouir à l'idée de retourner pêcher.

« Non ! s'est écriée Anna-Li, nous surprenant encore une fois. Parce que alors, tout ça n'aura jamais eu de sens.

– Et on ne peut pas me rendre Oscarpetit de toute façon », a ajouté Gerda, furieuse, et elle avait raison. Oscarpetit avait succombé à la première nuit de gel, le 3 décembre.

« Pauvre Cendrillon », a soupiré Elise à l'idée que la chienne était peut-être morte sans que cela apporte quoi que ce soit à personne.

Je n'ai rien dit. C'était l'hiver et des sandales vertes à petits talons ne me seraient d'aucune utilité à cette époque de l'année.

La plupart d'entre nous étaient quand même d'accord. Et on était tous derrière Sofie quand elle a craché sur l'asphalte devant les bottes bleues du pieux Kaj.

« Trouillards ! a-t-elle sifflé. Vous laissez tomber si facilement ? »

Frederik et le pieux Kaj raclaient honteusement l'asphalte de leurs talons. Sebastian s'est fait tout petit.

« Ça a fait tellement de tapage, et puis on a fait des choses qu'on ne devait pas, a avancé Frederik prudemment.

– Parce que ce n'est pas la signification qu'il y a, là-bas, à la scierie, peut-être ? » Sofie ne quittait pas Frederik des yeux, jusqu'à ce qu'il baisse le regard et hoche la tête. « Si on abandonne la signification, il ne nous reste rien ! »

Rien ! Rien ! Rien !

« On est d'accord ? » Elle nous a dévisagés l'un après l'autre en brûlant plus que jamais. « Est-ce que la signification n'est pas plus importante que tout le reste ?

– Bien sûr », a dit Ole en profitant de l'occasion pour pousser Frederik si brutalement qu'il en est presque tombé.

Nous, on hochait la tête en marmonnant si, et bien sûr, et naturellement, et ça ne peut pas être autrement. Parce que c'était comme ça.

« On a cependant encore un problème, a continué Sofie. Comment va-t-on s'y prendre pour montrer le mont de signification à Pierre Anthon ? »

Elle n'avait pas besoin de nous faire un dessin. La police avait consigné la scierie et le mont de signification comme pièces à conviction. Et on était tous interdits de sortie.

La sonnerie a retenti, et on n'a pas pu discuter avant la récréation suivante.

Sofie avait trouvé elle-même la solution à la première partie du problème.

« Avec un peu de chance, on peut contourner le barrage de police, dit-elle. Il y a une lucarne dans le pignon de la scierie qui ne donne pas sur le chemin et l'entrée. La police ne surveille pas ce côté. Si on parvient à se procurer une échelle, on pourra entrer en grimpant par là. »

C'était plus difficile avec l'interdiction de sortie. Peu nombreux étaient ceux qui avaient envie de provoquer la colère de leurs parents.

« On pourrait peut-être demander à Pierre Anthon d'aller tout seul à la scierie pour regarder ? a proposé Richard.

– On n'y arrivera jamais, a dit Maiken. Il va penser qu'on veut le rouler. »

J'ai eu une idée.

« Et si *Le Mardi de Tœring* écrivait une histoire sur nous et le mont de signification ? Ça le rendrait sûrement curieux et il irait peut-être voir ?

– Mais comment va-t-on les faire écrire sur nous ? a grimacé Ole. La police a fait en sorte que l'affaire ne s'ébruite pas, à cause de notre âge.

– On n'a qu'à appeler nous-mêmes le journal et feindre d'être des citoyens indignés qui ont entendu parler de la découverte de la statue de Jésus profanée, etc. » Je riais rien que d'y penser.

« Ne dis pas etc. ! a crié Gerda en pensant probablement à Oscarpetit, couché tout raide dans sa cage au milieu du tas.

– C'est pas moi qui appelle !

– Qui alors ? »

On s'est tous regardés. Je n'ai pas compris pourquoi ils ont tous fini par se tourner vers moi, mais c'est sûrement ce qui arrive quand on ne sait pas tenir sa langue.

Tenir sa langue. Se taire. Ne rien dire.

J'aurais pu avaler ma langue.

Je n'ai pas été un instant seule à la maison cet après-midi-là, ni le suivant. En revanche, le troisième jour a été le bon : mon frère était au football et ma mère sortie faire les courses. À peine était-elle partie à vélo que je me suis précipitée sur le téléphone de la cuisine et j'ai composé le numéro.

« *Le Mardi de Tœring* », a annoncé une voix aiguë de femme.

J'ai dit : « J'aimerais parler au rédacteur en chef », surtout parce que je ne savais pas qui demander d'autre. J'avais mis un pull sur le récepteur. Ça n'a pas suffi.

« De la part de qui ? a demandé la voix un peu trop curieuse.

– Hedda Hult Hansen. » C'est le seul nom qui m'est venu à l'esprit sur le moment, même si je l'ai immédiatement regretté, car l'idée était que ça devait être anonyme. Bon, c'était le nom de la femme du pasteur et pas le mien, ça m'était bien égal. Et puis comme ça, au moins, la femme m'a passé directement le rédacteur en chef.

« Søborg », s'est-il présenté d'une voix grave, vibrante.

Cette voix m'a rassurée. Elle était bonne et bienveillante comme celle de mon grand-père, alors j'ai mis toute la gomme.

« Hedda Hult Hansen à l'appareil. Oui, je préférerais que mon nom ne soit pas cité, mais il y a véritablement une chose dont *Le Mardi de Tœring* devrait se faire l'écho. »

J'ai inspiré profondément, comme sous le coup de l'émotion. « Vous avez certainement entendu parler de certains des terribles événements qui ont eu lieu près de l'église ces temps derniers. D'abord le cimetière a été profané et deux des pierres ornant les tombes ont été volées, puis notre Jésus sur sa croix de rose a disparu lui aussi, et de plus, un dimanche. »

J'ai inspiré de nouveau dans un sifflement.

« Je suis certaine, en revanche, que vous n'avez pas entendu parler du fait que ces trésors nationaux ont été retrouvés. Et ceci avec un petit cercueil d'enfant et son éventuel contenu, plus un serpent dans le formol, un vélo jaune fluo et (j'ai baissé la voix) un chien à la tête coupée, ainsi qu'un hamster mort, un index ensanglanté et quantité d'autres choses. Et aussi une paire de sandales vertes. »

Je n'ai pas pu me retenir d'ajouter cette dernière chose, même si ça n'était pas très prudent. Heureusement, le rédacteur en chef n'a pas semblé y prêter attention.

« Mais c'est épouvantable.

– Oui, à vous faire dresser les cheveux sur la tête, n'est-ce pas ? À la scierie abandonnée. Et on dit que c'est un groupe d'adolescents qui a réuni tous ces, comment dire, objets, parce qu'ils voulaient amasser de la signification. Oui, en fait, il y aurait à la scierie quelque chose comme un *mont de signification* ! » J'ai aspiré l'air entre mes dents pour que ça siffle.

Le rédacteur en chef a répété que c'était vraiment une épouvantable histoire, mais qu'il ne pouvait se passer de personne dans son équipe à l'approche de Noël. Juste avant de raccrocher, il s'est pourtant assuré que la scierie abandonnée dont parlait Hedda Hult Hansen était bien celle de la rue du Champ, à la sortie de Tæring.

Je crois que le rédacteur en chef avait pris toute cette histoire pour un canular, mais j'espérais malgré tout l'avoir rendu suffisamment curieux pour qu'il mette un journaliste sur l'affaire.

Par prudence, j'ai téléphoné à Sofie. Ça valait peut-être la peine de vérifier si quelqu'un venait à la scierie.

Il y a eu la fête de Noël du collège (à laquelle on n'a pas eu le droit d'assister), il y a eu la veille de Noël (et là le cœur de nos parents a enfin commencé à fondre), et puis ça a été le soir de Noël (et on a pu constater avec soulagement qu'on ne recevait pas moins de cadeaux que nos frères et sœurs plus sages, ou que les années précédentes).

Mais ça a vraiment été Noël quand, la veille du Nouvel An, on a pu lire dans *Le Mardi de Tæring* que les démons avaient trouvé le chemin de Tæring.

Les démons, c'était nous.

Page trois, suivait une description détaillée du mont de signification.

À cause du respect de l'anonymat, nous n'étions pas nommés. On soupçonnait seulement une des classes les plus âgées du collège de Tæring. On n'était pas peu fiers – même si Pierre Anthon ne s'était toujours pas montré aux alentours de la scierie.

Dès que les cours ont repris le 4 janvier, on s'est promenés la tête haute dans la neige de la cour, en prenant l'air important pour que ceux des autres classes ne doutent pas qu'on était au courant de quelque chose dont ils ignoraient tout. Plusieurs ont essayé de nous tirer les vers du nez, mais tout ce qu'on a dit c'est qu'on avait trouvé la signification.

C'était Sofie qui nous donnait les instructions. On devait parler de la signification et de rien d'autre, et c'est ce qu'on a fait.

« On a trouvé la signification ! »

C'est aussi ce qu'on a répondu aux professeurs, aux parents, à la police et à tous ceux qui continuaient à nous demander pourquoi.

Et c'est enfin ce qu'on a répondu à la grande presse quand elle est arrivée.

19

Les journaux de la côte ouest sont venus les premiers. Ensuite, les journaux du soir. Et puis la presse de la capitale et les différents journaux des environs. Les hebdomadaires et la chaîne de télé locale ont été les derniers.

Ils se sont divisés en deux groupes.

Les deux premières catégories de journaux étaient d'accord avec *Le Mardi de Tœring* : on était des sauvages indisciplinés qui méritaient la maison de correction. Les deux suivantes ont commencé, à notre grande surprise, à baragouiner sur l'art et le sens de la vie, tandis que les dernières penchaient plutôt du côté des premiers. Le débat pour et contre n'a pas tardé à s'envenimer.

Pour. Contre. Pour ou contre !

On ne comprenait pas leur rage sourde et leurs paroles, celles des pour comme celles des contre, ni que des gens de tout le pays, surtout ceux de la capitale, même s'ils n'avaient jamais auparavant montré le moindre intérêt pour Tœring et ses environs, commencent à s'y rendre en pèlerinage.

Le fait est que la rage et les paroles, pour et contre, augmentaient irrésistiblement le sens du mont de signification. Mais ce qui était encore plus important, c'était qu'avec toute cette presse, toutes ces visites de critiques d'art et de tout un tas de gens bien et de quelques autres tout à fait ordinaires, la police était obligée d'ouvrir la scierie et d'autoriser les visites tous les jours, entre midi et seize heures.

Maintenant, Pierre Anthon pouvait facilement venir voir le mont de signification.

Mais ce à quoi on n'avait pas pensé, c'était que Pierre Anthon ne voudrait pas.

« Rien ne vaut rien, et rien ne signifie quoi que ce soit. Et votre tas de bric-à-brac non plus » est tout ce qu'il a répondu.

Quoi qu'on fasse, il restait intraitable. Chaque fois qu'on essayait de l'attirer à la scierie ou de le forcer à venir, sa réponse était la même : non !

Ça nous a beaucoup déçus.

Oui, ça nous a tellement déçus que ça nous a presque ôté notre courage, parce que ça rendait tout – Oscarpetit et l'innocence, Cendrillon et le doigt de Jan-Johan, le petit Emil et le Danebrog, les cheveux bleus de Rikke-Ursula et tout le reste – totalement insignifiant. Et ça n'aidait pas le moins du monde à ce que de plus en plus de gens pensent que le mont de signification avait un sens, ou bien à ce qu'on ne soit plus regardés de travers par les parents, les professeurs ou les policiers.

On a essayé, encore et encore.

Individuellement, en groupes, toute la classe (à l'exception du pieux Kaj qui avait été condamné à servir bénévolement à l'église et était privé de sortie quatre semaines de plus que nous). Il n'y avait rien à faire.

Et ça n'y a même rien fait quand la presse suédoise, puis la norvégienne, puis la presse de la plupart des pays de l'Europe, suivies de la presse américaine et de ce qui ressemblait à la presse du monde entier, sont venues à Tæring et ont fait de nous quelque chose.

Quelqu'un.

Et ça, quoi que Pierre Anthon puisse dire !

Ça avait été excitant quand *Le Mardi de Tæring* avait écrit sur nous. Ça avait été fantastique quand les journaux nationaux étaient venus et avaient commencé à se disputer à propos du mont de signification. Mais c'est devenu complètement prodigieux et plein de signification quand la presse est arrivée de tous les coins du monde. Tæring n'était habituellement pas très drôle en janvier. Cette année-là, janvier ne nous a pas paru assez long.

Janvier.

Janvier.

Janvier.

Janvier.

Et janvier a continué en février, pour mardi gras, et jusqu'au 1ᵉʳ mars, c'était toujours janvier.

On a été photographiés de face, de dos, de profil, par en dessus et par en dessous. Les photographes couraient après nous pour saisir le plus beau sourire, le froncement de sourcils le plus circonspect, le geste le plus grandiose. Des journalistes sonnaient à tout propos à nos portes, et les chaînes de télé installaient leurs caméras devant l'école de Tæring et filmaient nos allées et venues. Même Jan-Johan était bien content et tendait bravement son pansement en direction des photographes pour que l'absence d'index puisse être immortalisée ici et là.

Mais surtout, journalistes et photographes prenaient d'assaut la scierie abandonnée pour donner chacun sa version du phénomène.

Le mont de signification a commencé à faire parler de lui.

Tous étaient impressionnés.

Tous, sauf Pierre Anthon.

20

« On aura tout vu ! a lancé Pierre Anthon. (La buée
qui sortait de sa bouche formait un nuage blanc sur le
bleu foncé de sa cagoule.) Tæring, c'est le nouveau truc, et
le monde entier nous regarde. Le mois prochain, Tæring
sera oubliée, et le monde entier regardera ailleurs. »

Pierre Anthon a craché dédaigneusement sur le trottoir, mais sans nous toucher. Ni de son crachat, ni de ses
mots.

« Ferme-la ! a crié Jan-Johan, arrogant. Tu es juste
jaloux.

– Tu es jaloux ! Tu es jaloux ! » on a repris en écho.

On était célèbres et rien ne pouvait nous démoraliser.

Rien ne pouvait nous démoraliser parce qu'on était
célèbres.

C'était le lendemain du jour où le premier journal
anglais était arrivé, et c'était son problème si Pierre Anthon
ne voulait pas faire partie de la signification et de la célébrité. Nous, ça nous était égal. Ça nous était aussi égal qu'il
ne veuille pas aller à la scierie abandonnée voir le mont de
signification.

Totalement, entièrement, complètement égal.

Et ça nous était égal qu'il y ait des gens contre nous et la signification du mont de signification, à Tæring, dans la presse, et à d'autres endroits du pays ou du monde. Car il y en avait de plus en plus qui étaient pour. Et un si grand nombre de gens ne pouvaient pas se tromper. Beaucoup ! Plus ! La vérité !

Et ça a été d'autant plus flagrant quand on a été invités à Atlanta pour participer à une émission télévisée diffusée aux États-Unis et dans le reste du monde.

Toutes les conversations à Tæring n'avaient plus qu'un seul et même sujet : devait-on nous autoriser à aller en Amérique ou pas ? Ceux qui étaient contre la signification, celle du mont et la nôtre, n'avaient pas besoin d'y réfléchir. Pas question de nous laisser partir et nous compromettre – Tæring et eux avec – aux yeux du monde entier. Comme si ce n'était pas assez embêtant comme ça ! Les autres habitants étaient fiers, autant de l'invitation que de nous et de la signification, car jamais auparavant Tæring n'avait reçu autant d'attention.

La majorité était pour la signification.

On n'a tout de même pas eu le droit de partir.

Plus les gens étaient pour, plus ils prenaient conscience, justement, des raisons qu'il y avait de veiller sur nous et sur le mont de signification.

Et quoi qu'ait dit la chaîne américaine, on n'était jamais sûr de ce qui pouvait nous arriver là-bas, de l'autre côté de l'Atlantique.

Ça nous a ennuyés. Mais ça ne nous a pas trop ennuyés. Qu'il faille bien veiller sur nous augmentait notre signification.

On le croyait.

Jusqu'à ce qu'on repasse devant le 25 rue de Tæring.

C'était un lundi matin, sombre, froid, venteux, et ça n'avait rien de particulièrement agréable d'aller à l'école, si ce n'était que la signification éclipsait aussi bien les mathématiques que le danois, l'allemand, l'histoire, la biologie et tout ce qui était ennuyeux à Tæring.

Je marchais avec Rikke-Ursula, Gerda et Dame Werner, et tout en se courbant pour lutter contre le vent, on se demandait si on était assez importants pour que l'animatrice de l'émission américaine vienne à Tæring, puisqu'on ne pouvait pas aller en Amérique.

Dame Werner était sûr de lui.

« *Bien sûr*[*] *!* a-t-il dit en hochant la tête. *Bien sûr* qu'elle va venir. »

Je ne pensais pas non plus qu'il pouvait en être autrement, mais avant d'avoir eu le temps de discuter de l'endroit où aurait lieu l'enregistrement de l'émission et de ce qu'on devrait porter, on a été interrompus par Pierre Anthon.

« Ha ! a-t-il crié, n'ayant aucune peine à se faire entendre du haut de sa branche, malgré le vent. Comme si l'interdiction de partir avait quoi que ce soit à voir avec votre sécurité ! Ha, ha ! s'est-il esclaffé. Combien croyez-vous que ça rapportera à Tæring si vous allez voir les journalistes et les photographes ? Alors que s'ils continuent à venir ici, à habiter à l'auberge et partout ailleurs où il y a un mètre carré à louer, et à manger aussi, et à acheter de

[*] En français dans le texte.

111

la bière et du chocolat et des cigarettes, et à faire réparer leurs chaussures et plein d'autres choses... Ha, ha ! Ce que vous pouvez être bêtes !» En riant, Pierre Anthon secouait sa cagoule dans le vent, elle riait avec lui.

« Rira bien qui rira le dernier ! a crié à son tour Rikke-Ursula. Attends un peu. Si la signification ne peut pas aller au show télévisé, le show télévisé viendra bien à la signification !

– Ah ça c'est bien vrai, a répondu Pierre Anthon. Rira bien qui rira le dernier !» Et il est parti d'un rire si bruyant que ça a sonné comme un bon argument, une certitude.

Ha, ha ! Ho, ho ! C'est moi qui ai raison !

Que Pierre Anthon ait su de quoi il parlait ou qu'il ait simplement deviné, il a finalement eu raison.

L'enregistrement pour les États-Unis ne s'est pas fait, car même si on était importants et pleins de signification, l'animatrice télé était quand même plus importante et plus pleine de signification. Et elle n'avait pas le temps de venir à Tæring pour nous interviewer.

Ce n'était déjà pas bon.

Le pire, c'est que cela m'a fait concevoir le désagréable soupçon que Pierre Anthon avait peut-être compris la chose suivante : la signification était relative et donc sans signification.

Je n'ai parlé à personne de mon doute.

J'avais peur de Sofie, mais ce n'était pas seulement ça. C'était agréable d'être célèbre et d'avoir foi en la signification et je ne voulais pas que ça s'arrête, parce que ailleurs, il n'y avait que vide et néant. C'est pourquoi j'ai continué à me pavaner et à prendre un air important, comme si j'avais réellement trouvé la signification et ne doutais pas de ce qu'elle était.

C'était facile de faire semblant. Bien sûr il y avait encore beaucoup de voix contre, mais la violence avec laquelle se déroulait la bataille sur le sens du mont de signification impliquait que la chose était de la plus grande importance. Et l'importance étant égale à la signification, la plus grande importance signifiait donc la plus grande signification.

Et je ne doutais au final qu'un tout petit peu.

Tout petit. Plus petit. Rien.

On a gagné la bataille de la signification autant dans la presse nationale que dans celle du monde entier.

Bizarrement, on a vécu cette victoire comme une défaite.

21

C'est un grand musée de New York qui a réglé l'affaire. Son nom était une drôle d'abréviation qui sonnait comme un mot qu'un enfant ne serait pas arrivé à prononcer correctement. Mais aussi bête qu'ait été son nom, il a coupé court une bonne fois pour toutes au débat quand il a offert trois millions et demi de dollars pour le mont de signification.

Subitement, tout le monde a compris que le mont de signification était de l'art, et que seuls les ignorants non initiés pouvaient s'aviser de dire autre chose. Même le critique d'art du plus grand des journaux de la côte ouest a battu en retraite et dit qu'il avait regardé le tas de plus près, et que c'était finalement quasi génial et qu'on était peut-être confrontés ici à une nouvelle et originale interprétation du sens de la vie. C'était juste qu'il ne l'avait vu que de devant la première fois, a-t-il écrit.

Trois millions et demi de dollars, c'était un beau paquet d'argent, on a pensé, sans saisir tout à fait combien ça faisait en réalité. Par le biais de l'avocat désigné pour nous représenter, on a quand même insisté pour que le prix du mont de signification monte à trois millions six cent mille dollars ; il ne faut jamais vendre moins cher si on peut vendre plus cher. Oui, finalement on a même demandé trois millions six cent vingt mille dollars, comme ça il y avait de quoi rembourser l'église pour Jésus sur sa croix de rose, parce que lui, on ne pouvait plus le rendre. Le musée a accepté, et ça a été tout.

Il ne restait plus qu'à convenir d'une date à laquelle ils viendraient chercher le mont de signification.

C'est vrai qu'il y avait beaucoup de paperasses, d'autorisations et de choses à régler avant que le mont puisse être déplacé au-delà de nos frontières. Mais en même temps – et malgré un printemps exceptionnellement froid – la partie périssable du mont périssait un peu plus vite chaque jour. Le musée s'est finalement mis d'accord avec lui-même sur le 8 avril, à quatre semaines et demie de là. Conséquence : les gens du musée et leurs avocats ont cessé de s'intéresser à Tæring, et avec eux la presse du monde entier, puis notre presse nationale. Tæring est redevenue la ville qu'elle avait toujours été.

Ennuyeuse. Plus ennuyeuse. La plus ennuyeuse.

C'était extrêmement bizarre.

On avait découvert la signification et, du coup, le sens de tout. Toutes sortes d'experts avaient proclamé à quel point le mont de signification était grandiose. Un musée américain voulait le payer des millions de dollars. Et pourtant, c'était comme si personne ne lui trouvait plus aucun intérêt. On ne comprenait pas.

Ou bien le mont était la signification, ou bien il ne l'était pas. Et si tout le monde était d'accord sur le fait qu'il l'était, est-ce qu'il pouvait juste cesser de l'être ? Ou pas ?

On allait à l'école et on en revenait, mais il n'y avait pas une seule caméra, pas un seul journaliste. On a fini par retourner à la scierie abandonnée. Le mont de signification semblait le même (on ne pouvait pas voir que les restes du petit Emil avaient été retirés du cercueil craquelé et déposés dans un cercueil neuf, qui était enterré et craquelait désormais comme le premier). Rien n'avait changé, et que le mont paraisse plus petit ne pouvait être qu'une illusion d'optique. N'est-ce pas ?

Le fait était, pourtant, que janvier, avec toute la gloire et la signification qui l'accompagnaient, avait brutalement pris fin la première semaine de mars.

Pierre Anthon s'amusait.

« La signification est la signification. Alors si vous aviez vraiment découvert la signification, elle serait toujours là. Et la presse du monde entier serait toujours là elle aussi à essayer de comprendre ce que vous avez découvert. Mais ils ne sont pas là, donc quel que soit ce que vous avez trouvé, ça n'était pas la signification, car elle n'existe pas, justement ! »

On essayait tous de faire comme si de rien n'était, on levait le nez en l'air, on était importants et surtout quelqu'un.

Au début, ça a si bien marché qu'on y croyait presque. Ça nous aidait aussi de relire les nombreuses coupures de journaux de notre press-book et de revoir les vidéos des interviews télévisées que nos parents avaient enregistrées. Petit à petit cependant, les interviews nous faisaient l'effet de comédies démodées, les coupures se ternissaient, et Pierre Anthon, lui, avait beau jeu.

Le doute nous a pris un par un.

Un. Deux. Presque tous.

C'était une trahison, mais on ne se l'est pas avoué. Cela se voyait uniquement à la façon dont les sourires avaient disparu pour faire place à des masques semblables à ceux que portaient les adultes, et qui ne disaient que trop bien qu'il n'y avait peut-être pas grand-chose qui valait quoi que ce soit.

Sofie était la seule à tenir bon. Et à la fin, seuls son visage pâle et son regard brûlant nous empêchaient encore d'abandonner.

Et de donner raison à Pierre Anthon.

22

C'était le printemps, et pourtant cette année-là, ça ne l'était pas pour nous.

On devait passer en troisième, et plus tard, choisir une nouvelle école, de nouvelles matières. Comment allait-on pouvoir le faire, avec Pierre Anthon pour nous rappeler sans cesse que rien ne valait rien, on n'en avait pas la moindre idée. On allait être dispersés aux quatre vents, et ainsi, perdre le contact avec cette signification qu'on avait touchée du doigt, puis perdue, sans savoir vraiment comment c'était arrivé.

Et comme pour nous rappeler que le printemps n'était pas arrivé, des sursauts d'hiver nous revenaient en mars. Des neiges tardives sont tombées, ont fondu, sont retombées et ont de nouveau fondu. Narcisses et perce-neige se cachaient, se fermaient et gelaient sous la couche blanche et, quand celle-ci a finalement disparu, ils ont réapparu, annonçant la renaissance du printemps parmi les quelques brins d'herbe qui avaient résisté à l'hiver à Tæring.

En 4eA, on n'a vu ni renouveau, ni printemps.

Que signifiait le printemps alors que ce serait bientôt l'automne, et que tout ce qui germait aujourd'hui fanerait demain ? Comment pouvait-on se réjouir du hêtre en bourgeons, du retour des étourneaux, ou du soleil qui montait un peu plus haut dans le ciel chaque jour ? Tout ne tarderait pas à repartir dans l'autre sens, pour aller vers l'obscurité, le froid, les arbres sans fleurs ni feuilles. Le printemps n'était là que pour nous rappeler que, nous aussi, nous allions disparaître.

Chaque fois que je levais un bras, je prenais conscience qu'il devrait bientôt retomber et retourner au néant. Chaque fois que je souriais et riais, je songeais au nombre de fois où j'allais pleurer avec cette même bouche, ces mêmes yeux, jusqu'à ce qu'ils se ferment un jour, et que d'autres riraient et pleureraient aussi avant d'être couchés sous terre.

Seul le mouvement des planètes dans le ciel était éternel, et encore, seulement jusqu'à ce que Pierre Anthon, un matin, nous clame que l'univers était en train de se rétracter, pour parvenir un jour à un effondrement total, un big-bang inversé. Tout deviendrait si petit et dense que ce serait comme un grand rien. Même penser aux planètes était insupportable. Et c'était comme ça pour tout. Tout était insupportable.

Supporter. Subir. Tout, rien.

On errait comme des âmes en peine.

Chaque jour ressemblait au suivant. Et même si toute la semaine on attendait le week-end, c'était pourtant toujours une déception, et c'était de nouveau lundi, et tout reprenait son cours. C'était la vie et rien d'autre. On commençait à comprendre ce que Pierre Anthon voulait dire. Et on commençait à comprendre pourquoi les adultes étaient comme ils étaient. Et même si on s'était juré de ne jamais en arriver à leur ressembler, c'était précisément ce qui était en train de se passer. Et on n'avait même pas quinze ans.

Treize, quatorze, mûr. Mort.

Seule Sofie répondait encore à Pierre Anthon, quand on passait devant le 25 rue de Tæring et le prunier tordu.

« Le futur, c'est ça ! » a-t-il lancé un jour en écartant les mains comme pour nous montrer que tout était déjà là et qu'il ne nous restait rien d'autre à espérer que Tæring et l'absurdité.

Nous, on a baissé la tête. Pas Sofie.

« Le futur est ce qu'on en fait, a-t-elle répondu.

– Absurde, a hurlé Pierre Anthon. Il n'y a rien à en faire, puisque rien n'a de sens !

– Plein de choses ont un sens ! » Sofie a jeté rageusement une poignée de cailloux en direction de Pierre Anthon. Quelques-uns l'ont touché mais pas assez fort pour lui faire mal. « Viens donc à la scierie, et tu verras ce qui a un sens. »

J'ai compris à ce moment-là que Sofie pensait vraiment ce qu'elle disait.

Le mont de signification était la signification pour elle. Ou peut-être est-il plus vrai de dire que le mont de signification signifiait pour elle quelque chose qu'il ne signifiait plus pour nous.

« Votre bric-à-brac n'a pas de sens ! Sinon la presse mondiale serait encore là, et la population du monde entier viendrait en pèlerinage à Tæring pour prendre part à la signification.

– Si tu refuses de voir le mont de signification, c'est parce que tu n'oses pas ! a crié Sofie aussi fort qu'elle a pu.

– Si votre tas d'ordures avait la plus petite signification, il n'y a rien au monde qui me ferait plus plaisir », a répondu Pierre Anthon, condescendant, avant d'ajouter, doucereux, presque compatissant : « Mais il n'en a pas, sinon vous ne l'auriez pas vendu. »

Pour la première fois depuis l'épisode de la perte de l'innocence, j'ai vu des larmes dans les yeux de Sofie.

Elle les a essuyées si vivement du revers de la main qu'après coup, j'ai douté les avoir bien vues. Mais elle n'a rien trouvé à opposer à Pierre Anthon. Et à partir de ce moment, elle a fait un détour pour aller au collège et en revenir.

Il ne restait qu'une semaine avant le 8 avril.

Il ne restait qu'une semaine avant que le musée n'emballe, ne ferme et n'expédie le mont de signification.

Il ne restait qu'une semaine avant que Pierre Anthon n'ait raison pour toujours.

Nous, on avait plus ou moins abandonné, mais ce qui aurait été insupportable, c'est que Sofie abandonne à son tour. Et c'était ce qui était en train de se passer. C'est du moins ce que je croyais. Mais Sofie n'abandonnait pas. Sofie perdait la raison.

23

C'est arrivé brusquement, même si, à bien y réfléchir, ça couvait depuis un bout de temps. Un instant, Sofie se tenait tranquille et conciliante avec nous à la scierie. L'instant d'après, elle courait dans tous les sens en se frappant la tête contre les poteaux, en jetant de la sciure sur le mont de signification, et elle serait grimpée dessus pour le démolir si Ole et le grand Hans ne l'avaient retenue.

C'était la veille du jour où les gens du musée devaient venir emballer le mont de signification, et la signification – ou ce qu'il en restait – quitterait alors Tæring pour toujours.

« Ce n'est pas à eux, c'est notre signification ! » a hurlé Sofie, et c'est seulement à ce moment-là que nous avons pris conscience qu'elle n'avait pas prononcé un mot depuis six jours.

« On leur a vendu !

– On ne peut pas vendre la signification ! » Sofie frappait de ses poings la poitrine et l'estomac d'Ole et j'ai vu que ça lui faisait mal. Alors le grand Hans l'a attrapée par le bras et le lui a tordu dans le dos, et là, c'est elle qui a eu mal.

Je savais que Sofie avait raison.

On ne peut pas vendre la signification. Elle est là ou elle n'y est pas. Le fait qu'on ait vendu le mont de signification la lui avait fait perdre. S'il en avait jamais eu. Mais ça, je ne me le suis pas demandé, parce que s'il n'en avait jamais eu, ce n'était pas Sofie, mais Pierre Anthon qui avait raison.

« On l'a pourtant fait, et elle n'est plus à nous ! a répondu Ole avec une rage si sourde que j'ai su qu'il avait compris, lui aussi, que nous n'aurions jamais dû faire ça.

– Mais alors la signification n'a aucun sens ! a crié Sofie.

– Arrête, Sofie ! On s'en fiche de ce tas ! » est intervenu le grand Hans, et j'ai pensé qu'avec l'argent du musée, il pourrait s'acheter un nouveau vélo, mieux que le jaune fluo. Alors bien sûr, il s'en fichait.

« Si le tas ne signifie rien, alors Pierre Anthon a raison et rien n'a de sens ! a continué Sofie. Rien !

– Ferme-la, Sofie, a crié Gerda.

– Oui, ta gueule, Sofie, a dit Jan-Johan.

– Ta gueule, Sofie », se sont exclamés Elise, Hussein, Rikke-Ursula, le pieux Kaj et plein d'autres.

Mais Sofie n'a pas fermé sa gueule. Au contraire. Elle s'est mise à hurler encore plus fort.

« Rien, hurlait-elle. Rien ! Rien ! Rien ! Rien ! Rien !... »

Sofie hurlait et hurlait encore. Elle hurlait tellement fort et aigu que ça sonnait dans les oreilles et que ça faisait mal jusque dans les os. Mais le pire était qu'avec ce cri tout semblait s'écrouler. Comme si le mont de signification n'avait plus de signification, et qu'avec lui tout le reste perdait son sens.

Printemps, été, automne, hiver, joie, peine, amour, haine, naissance, vie, mort.

Tout ça n'avait aucune importance.

Aucune. Une. Rien.

Il n'y avait pas que moi qui l'avais compris.

Et avec cette révélation, c'était comme si le diable s'était emparé de nous.

Hussein a frappé Rikke-Ursula parce qu'elle avait eu l'idée pour le tapis de prière. Le grand Hans a donné un coup de pied à Hussein pour le vélo. Elise a griffé Ole et l'a mordu aussi fort qu'elle a pu, mais alors Rikke-Ursula s'en est prise à Elise, et Sofie s'est défoulée sur le grand Hans en lui tirant les cheveux, à tel point que j'ai vu voler de grosses touffes. Jan-Johan s'est jeté sur Sofie et l'a rouée de coups. Le pieux Kaj l'y a aidé, parce que c'était aussi elle qui avait eu l'idée pour Jésus sur sa croix de rose. Frederik a fichu une gifle à Maiken et puis ils ont roulé dans la sciure, jusqu'à ce que Maiken se libère, après que Dame Werner a envoyé un coup de pied dans les côtes de Frederik. Maiken s'est alors précipitée sur Gerda, tandis que Dame Werner était renversé par Anna-Li, juste avant que la petite Ingrid ne lui flanque un coup de béquille sur la tête, et qu'Henrik ne pique l'autre béquille pour pousser Ingrid à terre.

Après, je n'ai plus rien vu, parce que Gerda m'a sauté dessus par-derrière, et je suis tombée, et nous avons roulé dans la sciure au milieu des autres. Les poings frappaient, inexpérimentés mais durs. Je tirais les cheveux de Gerda et elle, les miens. Et puis elle a attrapé ma boucle d'oreille, elle a tiré et j'ai hurlé de douleur. Mais, profitant de l'effet de surprise – elle, ma boucle d'oreille dans la main –, je l'ai repoussée et me suis relevée. J'ai touché mon oreille et ma main s'est mouillée d'un sang chaud dégoûtant. Et c'est aussi le sang qui, dans la confusion des corps en lutte, m'a sauté aux yeux, alors qu'il ruisselait des visages de mes camarades de classe et, lentement, tachait la sciure et le sol cimenté.

C'était comme si on avait voulu s'entretuer.

Et subitement, j'ai su qu'il fallait que j'aille chercher Pierre Anthon.

À coups de pied, j'ai réussi à me dégager de l'étreinte de Gerda autour de mes tibias. Je me suis péniblement frayé un chemin à travers le tumulte, j'ai filé par la porte et j'ai descendu la rue en courant.

J'ai couru aussi vite que j'ai pu.

Couru comme jamais je n'avais couru. Je soufflais, j'avais un point de côté, mal dans la gorge et dans les jambes, mais je continuais. Je n'avais aucune idée de ce que j'allais dire à Pierre Anthon pour le persuader de retourner avec moi à la scierie. Je savais seulement qu'il le fallait.

Je voulais, je devais le ramener.

Pierre Anthon était assis sur sa branche dans le prunier, contemplant le vide.

De loin, j'apercevais son pull bleu sur le vert tendre des bourgeons naissants. J'ai couru jusqu'à l'arbre, me suis arrêtée pile au niveau du trottoir. D'abord, j'ai été incapable de parler, mais seulement de tousser, de cracher et de chercher l'air dont il ne restait pas grand-chose dans mes poumons. Pierre Anthon contemplait mes efforts avec étonnement mais non sans amusement.

« Qu'est-ce qui me vaut l'honneur, Agnès ? » a-t-il dit, aimable, mais avec une ironie évidente.

J'ai ignoré son ironie.

« Sofie est devenue folle, ai-je balbutié, dès que j'ai retrouvé assez de souffle pour parler. Ils sont tous devenus dingues. Il faut que tu viennes. »

Je m'apprêtais à dire quelque chose d'autre pour le convaincre, sans savoir tout à fait quoi. Mais Pierre Anthon a glissé sans un mot de la branche, s'y est suspendu un instant, puis s'est laissé tomber sur l'herbe. Il a disparu dans la cour, a réapparu peu après sur sa vieille bicyclette, et il s'est mis à pédaler si fort que je n'ai pas eu la moindre chance de le suivre.

Quand je suis arrivée à la scierie, la vieille bicyclette de Pierre Anthon gisait au bord du fossé, et Pierre Anthon était invisible. Il régnait un silence de mort.

J'ai ouvert doucement la porte et je suis entrée.

Ce que j'ai vu était sinistre.

La 4ᵉA se tenait en demi-cercle autour de Pierre Anthon. Des nez étaient de travers, des arcades sourcilières étaient ouvertes, des dents manquaient, des lèvres étaient fendues et enflées, des yeux étaient rouge et bleu, une oreille avait été à moitié arrachée, et certains avaient l'air de tenir à peine debout. Tous étaient barbouillés de sang et de sciure.

Mais ce n'était pas ce que je voyais. Ce que je voyais, c'était la haine.

Haine. Plus de haine. Les uns envers les autres.

J'ai tiré la porte et je me suis avancée en longeant le mur de la scierie.

Le regard de Pierre Anthon allait de l'un à l'autre.

« Vous êtes une sacrée bande d'idiots ! » s'est-il écrié. Il a hoché la tête et s'est avancé un peu. « Si rien n'a de sens, il n'y a aucune raison de se mettre en colère ! Et s'il n'y a aucune raison de se mettre en colère, il n'y a aucune raison de se battre ! »

Il a regardé à la ronde comme s'il défiait chacun de le contredire. « Alors qu'êtes-vous en train de faire ? » Il a donné un coup de pied dans la sciure. Et puis il s'est tourné vers le mont de signification et est parti d'un éclat de rire méprisant.

« C'est pour ce tas d'ordures que vous vous battez ? » Il le pointait du doigt dédaigneusement, s'arrêtant sur une chose ou une autre du tas, sans qu'on sache vraiment laquelle.

Il s'est ensuite approché et a fait quelques pas autour du tas. Il a longuement observé le cercueil du petit Emil avec le corps pourrissant de Cendrillon dessus. Il a étudié la tête de Cendrillon au sommet, puis a laissé glisser son regard du télescope au Danebrog et à Jésus profané sur sa croix de rose, des gants de boxe au serpent dans le formol, des six nattes bleues au vélo jaune fluo sur le tapis de prière, et des béquilles à Oscarpetit mort et à l'index raidi de Jan-Johan. Et puis il a vu quelque chose qu'il n'a pas compris.

« C'est quoi ce chiffon ? a-t-il demandé en désignant le mouchoir à carreaux.

– C'est la signification ! a hurlé Sofie, hystérique. C'est la signification ! »

Le regard de Pierre Anthon est allé d'elle à nous. C'était comme s'il était en train de comprendre quelque chose.

« Ah, alors c'est ça la signification ! » a-t-il crié, furieux, en attrapant Sofie. Il la tenait par les épaules et l'a secouée jusqu'à ce qu'elle s'arrête de crier. « Et c'est pour ça que vous l'avez vendu ?

– La signification, a murmuré Sofie.

– La signification, hein ! » Pierre Anthon a ri dédaigneusement. « Si ce tas d'ordures a jamais signifié quelque chose, il n'a plus rien signifié le jour où vous avez reçu de l'argent. »

Il a ri de nouveau. Il a lâché Sofie et regardé Gerda.

« C'était combien le prix pour Oscarpetit, hein Gerda, hein ? »

Gerda n'a pas répondu. Elle a juste rougi et baissé les yeux.

Pierre Anthon a examiné le drapeau, et fixé son regard sur Frederik.

« La patrie ! a-t-il grimacé. Tu as vraiment vendu la patrie pour de viles richesses, Frederik ? (Il a hoché la tête.) Je suis bien content de ne pas devoir partir à la guerre avec toi comme général ! »

Frederik avait les larmes aux yeux.

« Et le tapis de prière, Hussein ? Tu ne crois plus en Allah ? » Pierre Anthon ne quittait pas Hussein des yeux. « C'était combien le prix de ta foi ? »

Et il continuait, nommant chaque objet du mont de signification l'un après l'autre, et l'un après l'autre, on se recroquevillait.

« Et toi Jan-Johan, pourquoi ne pas avoir abandonné ta main entière, puisque de toute façon tu as donné ton index au diable et que tu l'as vendu au plus offrant ? Et toi Sofie, qu'est-ce qu'il te reste maintenant que tu t'es vendue ? »

On a tous gardé le silence.

On se tenait juste là, à racler la sciure, sans oser regarder Pierre Anthon ou les autres.

« Si tout ça avait réellement un sens, vous ne l'auriez pas vendu ! » s'est-il exclamé pour mettre fin à son laïus, tendant la main en direction du mont de signification.

Pierre Anthon avait gagné.
Mais c'est alors qu'il a commis une faute.
Il nous a tourné le dos.

24

C'est Sofie qui a sauté la première, et si on n'était pas intervenus, Pierre Anthon s'en serait débarrassé facilement. Mais ça n'a pas été le cas. D'abord Jan-Johan a suivi, puis Hussein, puis Frederik, puis Elise, et puis Gerda, Anna-Li, le pieux Kaj, Ole et le grand Hans, et puis il n'y a presque plus eu de place pour qui pouvait donner des coups de pied et frapper Pierre Anthon en même temps.

Je ne sais pas si ça faisait peur ou pas.

Maintenant que j'y repense, ça a dû faire très peur. Mais ce n'est pas comme ça que je me le rappelle. Plutôt comme d'une pagaille. Et une belle. Ça avait un sens de frapper Pierre Anthon. Un sens de lui donner des coups de pied. Ça avait une signification, même s'il était à terre, ne pouvait pas se défendre et ensuite, n'essayait même plus de le faire.

C'était lui qui nous avait pris le mont de signification, tout comme il nous avait déjà pris la signification une fois. Tout était de sa faute. Que Jan-Johan ait perdu l'index droit, que Cendrillon soit morte, que le pieux Kaj ait profané son Jésus, que Sofie ait perdu son innocence, que Hussein ait perdu la foi, que…

C'était de sa faute si on avait perdu le goût de vivre, et de l'avenir, et si on ne savait plus quoi faire ou ne pas faire.

Tout ce qu'on savait, c'était que c'était de la faute de Pierre Anthon. Et qu'il allait nous le payer.

Je ne sais pas dans quel état était vraiment Pierre Anthon quand on a quitté la scierie.

Mais je sais de quoi il avait l'air, même si ce n'est pas ce que j'ai dit à la police.

Il gisait au sol, étrangement tordu, la tête renversée en arrière, le visage bleu et enflé. Le sang coulait de son nez et de sa bouche et avait aussi coloré le dos de la main avec laquelle il avait essayé de se protéger. Ses yeux étaient fermés, mais le gauche faisait une bosse et avait presque l'air de travers sous le sourcil fendu. Sa jambe droite reposait dans une position qui n'était pas naturelle, et son coude gauche était plié à l'envers.

Tout était silencieux quand on est partis, et on ne s'est pas dit au revoir.

Ni les uns aux autres, ni à Pierre Anthon.

Cette nuit-là, la scierie abandonnée a brûlé entièrement.

25

La scierie abandonnée a brûlé toute la nuit et encore un peu le matin suivant.

Et puis ça a été fini.

Je suis arrivée en fin de matinée. La plupart des autres étaient déjà là. On s'est salués, mais on ne s'est pas adressé la parole.

J'ai contemplé ce qu'il restait : des décombres fumants.

On ne pouvait plus distinguer ce qui avait été la scierie de ce qui avait été le mont de signification. À part les restes de murs calcinés, tout était en cendres.

Personne n'a parlé. Ni aux parents, ni à la police, ni au *Mardi de Tœring*, ni aux gens du musée de New York. La presse internationale ne s'est pas montrée ; mais si elle était venue, je sais qu'on ne lui aurait rien dit non plus.

Personne n'a posé de questions sur Pierre Anthon, et plusieurs heures se sont écoulées avant que sa disparition, la veille, ne soit associée à l'incendie de la scierie. Le rapport n'a été fait que lorsqu'on a découvert ses restes calcinés sur le lieu du sinistre. Près de ce qui avait été le mont de signification.

Quand les policiers ont émis l'idée que Pierre Anthon avait peut-être mis le feu au mont de signification et à la scierie parce qu'il ne voulait pas accepter qu'on ait trouvé la signification et, avec elle, gagné la célébrité, on ne les a pas contredits. C'était juste triste qu'il ait péri dans l'incendie.

On est allés à l'enterrement.

Certains d'entre nous ont même pleuré.

Sincèrement je crois. Et je suis bien placée pour le savoir, puisque j'étais de ceux-là. On a aussi perdu l'argent du musée, puisque personne n'avait pensé à assurer le mont de signification. Mais ce n'était pas pour ça qu'on pleurait. On pleurait parce que c'était tellement triste et beau, toutes ces fleurs, et les roses blanches offertes par notre classe. Parce que le cercueil blanc, brillant et pas encore craquelé, qui semblait petit même s'il était deux fois plus grand que celui d'Emil Jensen, se reflétait dans les lunettes du père de Pierre Anthon, et parce que la musique s'insinuait en nous, enflait et voulait s'échapper sans y parvenir. Que l'on ait cru au Dieu pour lequel on chantait, ou à un autre, ou à aucun.

On pleurait parce qu'on avait perdu quelque chose et reçu quelque chose d'autre. Et que ça faisait mal de perdre et de recevoir. Et parce qu'on savait ce qu'on avait perdu, sans pouvoir encore mettre un nom sur ce qu'on avait reçu.

Après que le cercueil blanc et pas encore craquelé de Pierre Anthon eut été mis en terre, après qu'on eut bu un verre à la communauté du 25 rue de Tæring, et après que le professeur Eskildsen, le père de Pierre Anthon et différentes personnes qu'on ne connaissait pas, mais dont on a deviné qu'elles faisaient partie de la famille, eurent dit plein de belles choses sur un Pierre Anthon qui n'était pas tout à fait celui qu'on avait connu, on est allés à la scierie.

Un indéfinissable sentiment nous donnait à penser qu'il ne serait pas très convenable de se rencontrer là-bas justement ce jour-là, alors, pour la première fois depuis de longs mois, on a emprunté trois par trois des chemins différents.

Les décombres ne fumaient plus.

Toutes les braises étaient éteintes. Ne restaient que des cendres et les ruines des murs calcinés, froides et gris-blanc. Là où avait été le mont de signification, la couche de cendres semblait plus épaisse, mais il était difficile d'en être sûr. L'endroit était recouvert par des morceaux de toit et de poutres écroulés. On s'est relayés pour déblayer. C'était un travail pénible et sale, et nous étions tout noirs, même sous nos vêtements.

On parlait le moins possible, tendant la main ou pointant du doigt lorsqu'on avait besoin d'aide pour déplacer une poutre ou une pierre.

Dans les poubelles voisines, on a récupéré des bouteilles vides, des gobelets en plastique et des boîtes d'allumettes, tout ce qui pouvait servir, et Sofie a couru chez elle chercher des récipients pour ceux qui n'en avaient pas.

On a ramassé la cendre avec nos mains.

Les récipients ont été refermés soigneusement sur la masse grise qui était tout ce qui nous restait de la signification.

Et on avait bien besoin de la garder précieusement, car même si Pierre Anthon n'était plus assis dans le prunier,

25 rue de Tæring, à crier sur nous, c'était pourtant comme si on l'entendait chaque fois que l'on passait.

« Si c'est si facile de mourir, c'est parce que la mort n'a pas de sens, criait-il. Et si la mort n'a pas de sens, c'est parce que la vie n'a pas de sens. Mais amusez-vous bien ! »

26

Cet été-là, on a été dispersés dans d'autres collèges au nord, au sud, à l'est et à l'ouest, et Sofie a été envoyée dans un établissement où l'on protège d'eux-mêmes les gens comme elle.

On ne s'est plus jamais revus, si ce n'est dans la rue, par hasard, quand on ne pouvait pas l'éviter. Personne n'a tenté de nous réunir pour la fête de la promo ou autre chose de ce genre, et je doute qu'aucun de nous vienne si un des professeurs en a un jour l'idée.

C'était il y a huit ans.

J'ai toujours la boîte d'allumettes contenant la cendre de la scierie et du mont de signification.

De temps en temps, je la sors et je la regarde. Quand j'ouvre avec précaution la boîte en carton usé et que je fixe la cendre grise, j'ai cette étrange sensation dans le ventre. Et même si je ne peux pas expliquer ce que c'est, je sais que quelque chose a un sens.

Et je sais qu'on ne plaisante pas avec la signification.

Hein, Pierre Anthon ? Hein ?

Composé par Nord Compo
à Villeneuve-d'Ascq

Achevé d'imprimé en juillet 2007
sur les presses de France Quercy
N° d'impression : 71911/
Imprimé en France